DX時代の広域連携

スマートリージョンをめざして

SMART REGION

国土計画協会・東三河地域研究センター 企画

大西隆・戸田敏行＋スマートリージョン研究会 編著

小野悠・幾度明・加藤勝敏・髙橋大輔・藤井康幸・間淵公彦・大石人士・太田秀也 著

特別寄稿 ㈱サーラコーポレーション代表取締役社長 神野吾郎

学芸出版社

DX時代の広域連携――スマートリージョン

我が国は縮減社会に突入している。基本指標である人口（国勢調査）は、大正以降の急増から2005年を頂点に急減している。この縮減社会における地域の持続をめざして、これまでの枠を超えて地域を結ぶ広域連携が、地域形成の手法として期待されていることは間違いないだろう。一方、ICT（情報通信技術）を活用したデジタル化は急速な進展を見せており、より広域に地域を結びつけたり、多様な主体の連携の可能性を広げている。つまり、DX（デジタル・トランスフォーメンション：広義にはICTを活用した社会変革）時代の広域連携を構想することが、今、重要な課題となっているといえよう。

これまでの広域連携では、隣接・連坦する都市や都市圏・中山間地域が連携することにより、生活利便性の向上や、産業経済の高度化・イノベーションの創出等の効果をめざしてきた。DX時代の広域連携では、隣接・連坦する多様な資源を相互に活用するだけではなく、域外からも容易にアクセスできる環境整備が求められ、ICTの活用が必然的に重要性を増すことになる。そうした中で、地域社会におけるデジタル化の目標を何に定めるかが問われることになる。単に効率性を重視し、競争優位性を高めるような地域づくりに留まるのではなく、その地域に住む人、その地域で活動する人、その地域に訪れる人などが、「暮らし続けていける地域、暮らしやすい地域」としての満足度を高め、複雑な社会課題の解決や新たな価値創出実現による持続可能な都市や地域の形成をめざすべきであろう。併せて、人口減少社会、グローバル競争のもとで、新たなスマート産業の創出を促し、地域の多様なシステムを円滑に結びつけることが必要である。これらを目標として、戦略的に連携を進める広域地域を、「スマートリージョン」として提案したい。

本書は、スマートリージョンの実現可能性の検討を「新東海地域」において行ったものである。本書がいう新東海地域とは、47頁に示すように愛知県東三河、静岡県遠州、静岡市を含む静岡県中部、さらに長野県飯田地域にわたる地域であり、首都圏と名古屋圏を結ぶ要衝を占めるとともに、自然に恵まれ、農業も豊かな自立性の高い経済圏をもつ地域でもある。現在国土計画においては、リニア中央新幹線の整備によって首都圏、名古屋圏、近畿圏をより緊密に結びつける大都市圏連携（日本中央回廊）が構想されており、歴史的に国土計画の中で重要な役割を担ってきた東海道沿線地帯をその中に的確に位置づけることが必要である。そこで、ここに新東海地域という枠組みを提案し、スマートリージョンの形成を進めていくことが、国土計画上も、さらには産業や働き方における国際的な連携においても重要なことと考えた。

このような問題意識から、国土計画の調査研究機関である（一財）国土計画協会とローカルシンクタンクである（公社）東三河地域研究センターが共同して、「持続的で多様なスマートリージョンの形成研究会（本書の編者である大西隆と戸田敏行が取りまとめ役、略称：スマートリージョン研究会）」を2021年に設け、検討を進めてきた。本書は、研究会の成果としての基本的な考えと各委員等によるスマートリージョンへの提案をまとめたものである。4編構成をとっており、「1編 ICTの活用と広域連携による課題解決」では、スマートリージョン提案の背景を総論的に示し、研究会としての新東海地域におけるスマートリージョン推進の考え方を述べている。続いて、「2編 DXによる生活の変化とスマートリージョン」及び「3編 スマート産業の展開」では、生活面と産業面からスマートリージョンが備えるべき個別の政策を提案し、「4編 スマートリージョンへの挑戦」でスマートリージョンの地域構想について述べている。最後に、特別寄稿として豊橋商工会議所の神野吾郎会頭による「東三河フードバレー構想」を掲載している。スマートリージョンの具体的な展開のためには、本書が提起する多様な試みが今後実施されていかなければならないだろう。本書はまさにその手がかりを提供するものである。

スマートリージョンの推進に当たっては、国土計画に示される国内の他地域との連携はもとより、さらにそれを超えた海外との連携が不可欠である。国土計画においては、第三次国土形成計画が決定されたところ（2023年7月28日）である。そして、これからスマートリージョンを盛り込むべき広域地方計画の策定、さらには各地域における具体的な地域振興の段階に入っていくにあたり、本書がヒントとなれば執筆者一同にとって望外の喜びである。国土計画や広域連携に係る研究者や行政関係者、産業界を始めとする方々にお読みいただき、DX時代の広域連携に向けた議論が活性化することを期待したい。

大西　隆、戸田敏行

ICTの活用と広域連携による課題解決
—スマートリージョン—

スマートリージョンに向けた日本の課題と新東海地域

大西　隆

縮小する日本、人口、経済、科学技術力

今日の日本を特徴付ける指標を一つ選ぶとすれば、やはり“合計特殊出生率（TFR）”であろう。2022年は1.26で、これまでの最小値であった2005年と同じ値となり、2015年に1.45までやや回復していたものが再び縮小の一途を辿っている。人口を長期的に維持していくためには（人口を再生産するためには）、TFRが2.07を超える必要があるとされる。日本の場合には、1974年（2.05）にこの値を下回ってから、多少の増減を伴いながらも、本格的に回復する兆しは一度も現れていない。

長期にわたってTFRが低迷してきたことによって親となる世代も減少しているために、出生者は昨年（2022年）には77.0万人と、80万人を切り1899（明治32）年に人口動態に関する統計が始まってからの最少値を記録した。一方で、高齢化とともに年間の死亡数は徐々に増加しているため、昨年1年間で総人口が80万人以上減少したと見られる。現在のような低水準のTFRが続けば、今後はさらに人口減少数が増えて、年間100万人前後減少する年が何十年も続くようになり、2055年頃（日本人に限定すれば2040年後半）には総人口が1億人を下回ると推計されている。

高齢化を伴う人口減少が社会全体の活力低下をもたらすことは避けられず、とりわけ就業者の減少による経済活動の縮小、すなわちGDP等の経済指標で表される経済規模の縮小が懸念される。日本の就業者は約6700万人（2021年、労働力調査年報）で、2019年にピークに達した後しばらくは、15～64歳の男性就業者の減少を補うように65歳以上就業者と女性就業者が増加して微減状態に留まってきた。しかし、15～64歳の生産年齢と呼ばれる男女の就業率は次第に頭打ち状態（女性の場合も70％に達して停滞気味）になっており、65歳以上の高齢者の就業率も、男は約34％、女は約18％程度となって停滞気味である。これらを考え合わせると、今後は、人口減少が就業者の減少に直結することになるのは避けられないだろう。

就業者（労働力）は資本とともに生産の2大要素であるから、その減少は経済規模の縮小につながる。日本経済研究センターによる世界経済の将来予測[注1]では、日本のGDPは2060年に4.6兆ドルに止まり、米国、中国、インド、ドイツに次いで世界第5位まで順位を下げる（昨今の円安が継続すればもっと下落する恐れがある）。これに対して、2018年から60年までの42年間に著しい経済成長を遂げるのは中国（GDPが2.5倍）、インド（同9.8倍）と推計されているから、人口大国がそのポテンシャルを生かして経済規模を拡大すると予測されていることになる。また、IMFの対日報告書（2020年2月）[注2]も、日本の人口減少が止まらなければ、GDPを大きく押し下げると予測している。

一方で、国民の豊かさに直接かかわる一人当たりGDPは、分母に当たる人口が減少すれば、分子のGDPが停滞しても縮小しないことはあり得よう。つまり、人口が減少しても豊かさを維持する道はある（ただし、後述のように日本の場合にはICT普及の遅れから生産性の伸びは鈍く、一人当たりGDPも低迷している）。しかし、その場合でも、経済規模の縮小によって、既に1千兆円を超えている国家債務（普通国債）の利子負担や防衛費等の人口規模に比例しない項目の支出が重荷となることは避けられない（例えば防衛費においては、仮想的に非友好国と見なしている周辺諸国の軍事力に対抗しようとして身の丈を超えた増強願望が生まれがちである）。普通国債の残高は、既にGDPの1.9倍に達し、近年では毎年30兆円以上の負債が積み増されていて、円への信用不安が円価値下落の危機に繋がりかねない段階に入っているとともに、巨大災害からの復興等の臨時支出が生じた場合に必要な資金を調達できるのかを心配せざるを得なくなっている。こうした一般会計財源の30～40％を借金で調達している状態は慢性的なものとなっており、健全化するためには、歳出に占めるシェアが最大の社会保障費（特に年金、医療、介護の財政支出）を含めた歳出削減も免れないと心配され、多くの国民が年金の減少や医療費・介護費の個人負担増に見舞われることになりかねない。これらを見通した年金・医療・福祉、あるいは公共施設の劣化対策や安全保障等といった歳出の在り方と、各種税負担等の歳入の在り方に関する総合的で長期的な制度設計は国民に示されていない。それどころか、政府は当面の物価高対策や人気取り施策などの近視眼的な政策への取り組みに終始し、将来に目をつぶるといった展望のない状態に陥っているように見えてならない。こうした出口の見えない深刻な財政危機にあることが将来への不安を掻き立て、子づくりや子育てを躊躇させるという悪循環が起こっていると見ることもできよう。

将来への不安という点では、科学技術力の縮小が止まらないことにも言及するべきであろう。科学論文発表数、被引用数の多い（いわば注目度の高い）論文数、博士号取得者数等、研究人材の輩出や研究成果によって表される日本の科学技術力は、米国や中国に大きく水を開けられているばかりではなく、他の諸国にも抜かれて国別順位を下げる状態が続いている[注3]。その背景には、この分野に対する政府支出の低迷があると指摘されている。科学技術における研究開発力はイノベーションを生む原動力という意味で中長期的に経済活動を牽引するものであり、その低迷は将来の経済発展にも暗い影を落としている。

2 日本の強みと弱み、外部環境の変化

生産活動従事者という点でも、生産活動規模という点でも、さらにイノベーションを通じた将来の経済的発展力という点でも縮小傾向にある中で、日本の国土の在り方をどのように方向付けるべきなのであろうか。まず、強みを生かし弱みが顕在化するのを防ぐという基本的な視点に立ち返って考察してみる。

ここでは、SWOT クロス分析を用いて考察する。この分析方法では、まず日本が持つ内部環境としての強み（strength）と弱み（weakness）を把握する。次に、日本を取り巻く情況の変化、つまり外部環境の変化を、前向きな変化である機会（opportunities）、厳しい試練となり得る脅威（threats）として把握する。**図1**のように、これらを組み合わせると、「強み×機会」と「弱み×脅威」に加え、「強

国内環境＼国際環境		opportunity（機会）	threat（脅威）
		・新興国・途上国の経済成長など、国際的市場の発展 ・特に、東アジア・東南アジア諸国の経済成長 ・DX の普及、ネット商取引	・地球温暖化の進行 ・国際的な政治的・軍事的緊張激化 ・国際的な市場の分断や自由貿易の制限
strength（強み）	・能力／高度加工技術、研究開発能力 ・均質な教育水準 ・国民性／誠実、正直 ・長寿社会 ・日本国憲法の存在 ・企業によるテレワークの受容と推進 ・豊富な個人金融資産 ・治安のいい社会・温暖な気候や四季	・優良・精密な製品が世界で売れる ・誠実・正直な国民性が信頼される ・治安のいい社会として観光や居住の対象となる ・低炭素社会に貢献する	・民間レベルの交流が促進される結果、地域の産業が競争に晒される
weakness（弱み）	・低合計特殊出生率、少子高齢化 ・巨大災害の恐れ、インフラの老朽化 ・東京一極集中 ・低い食糧自給率 ・巨額の赤字財政 ・根拠のない優越意識 ・DX の普及遅れ ・低いエネルギー自給率	・産業優位性が徐々に低下する	・災害激化、回復力の遅い社会となる ・近隣諸国から信用されない国となる ・自立度の低い国となる ・自由貿易の制限によって経済活動が停滞する

図1　日本の将来に関する SWOT 分析

み×脅威」と「弱み×機会」の四つの象限ができる。このうち、強みが機会を得れば国が発展するチャンスとなり、弱みが脅威に晒されれば危機が生じるので、この二つの象限を重視しつつ、いかに機会を生かして発展を図るのか、脅威を軽減して大きなダメージを避けるのかが国土の在り方を考える上で重要となる（図1）。

[1] 日本の強みと弱み

1 日本の強み

日本の強みは、海に囲まれた比較的温暖な気候と四季の変化が、米作など農業生産に典型的なように、一年を単位とした営みの繰り返し、歳の積み重ねの感覚を養い、誠実さや勤勉さという国民性の涵養に繋がってきたことだろう。この点は、技術を習い、正確に応用して加工を施すといった場面にも生かされ、日本製の高い品質評価に結びついてきたと筆者は考える。また、周囲を海で囲まれていることによって、外敵の脅威を減じて、比較的治安のいい社会を形成し得たこと、バラエティに富んだ食生活に恵まれたことによって平均寿命が伸び、長寿社会を形成することができたことも特筆されるべきだろう。教育の充実も特長であろう。国民が均質的な教育を受けて最近のDX時代を含む技術革新をもたらす様々な技術や知識にも対応できる人材が少なくないことは、文明の発展を享受しながら社会を発展させる可能性を持つことを示している。

2 日本の弱み

一方で、国力の観点から見ると、1節で述べた人口減少、GDP縮小、科学研究力低下等は弱みであり、経済活動全般の停滞や縮小をもたらす恐れが大きい。地震や台風を始めとする自然災害の危険性が高いことは、社会活動が大きく、長く停滞する危険を内包するものであり弱みといえよう。さらに、こうした危機の際に、既に巨額の政府債務があることは、財政が柔軟さを失ない、危機に対処するための財政出動の足かせとなっているという意味で弱みである。また、翻って考えれば明治維新以降急速な産業経済の発展を遂げてきたことが、大都市やその周辺地域、大都市間地域への産業集積を促し、かつ大都市そのものが過度ともいうべき程に拡大し、さらに、1980年代以降は東京圏のみが人口吸収源となってきたことによって一極集中と呼ばれる人口・産業の偏在を造り出した。このことは、地方における若青年層の流出による社会経済の停滞とともに、南海トラフ地震や首都直下型地震等の首都、大都市圏、あるいはその周辺を襲う恐れのある自然災害に対する脆弱性を高めており、今日では弱みとなっていると言えよう。食料自給率やエネルギー自給率の低さも、国際関係が緊張を増せば、必要物資の海外への依存度が高いという弱さ、すなわち国力の脆弱さとなって現れる。

[2] ICT産業分野における強みと弱み

このように、日本の将来には、人口減少という規模縮小に関わる問題と、生産性低下という技術革新の不十分という質の遅れの問題の両者が不安を投げかけている。少子化は既に社会に定着してしまった感があり、改善される見通しが容易に立たない中で、ICTの活用による生産性の向上に大きな期待がかかる。この点は、18～19世紀の産業革命が機械化によって成し遂げられたのに対して、現代の産業変革は、生産技術あるいは社会におけるICTの活用によって進んでいると言われることにも示されている。つまり、ICTを活用することによって、作業の正確さや速度が向上し、情報伝達の速度が増すことを通じて同一の価値を実現するための人×時間を節約できる。そうした中で、機械文明に優れた国が、そこで培われてきた技術にこだわるあまり、次のICT文明に後れを取ることがあり得る。例えば、世界のトップを行く日本の自動車産業は内燃機関の技術をベースとしているが、地球環境問題への取り組みに促されて進む電気自動車の普及に際して遅れをとるのではないかとの心配がある。裾野広く展開されているガソリン自動車製造の産業体系を方向転換することは容易ではないからである。後述するように、ICT産業では、かつて、半導体やPCの製造に強かった日本が、ことにICTの要素技術を統合する分野でアメリカや中国に遅れを取っている。ICTを活用した生産性の向上という、人口減少社会に直面する我が国にとっては最重要の課題に、より積極的に取り組むことが急務である。

世界で600兆円超の市場規模を有し[注4]、かつ成長分野であるICT産業は、あらゆる社会経済活動に分野横断的に関わるという特徴を持ち、ネットワーク、クラウドやデータセンターといったインフラ部門から、端末や機器、さらにコンテンツ、サービスなど多様な産業群から構成されている。

ICT分野全体では、日本はアメリカ、全EU、中国に次ぐ四番目の市場規模である（2019年のデータでは市場規模は、アメリカ31.3％、全EU19.1％、中国13.0％、日本6.4％[注5]）。ただ、近年では、アメリカ、中国企業の勢いに押されており、ICT産業の財及びサービスで、ともに輸入超過となっている（2021年には、実質値で、ICT財で3.9兆円、ICTサービスで3.2兆円の輸入超過[注6]）。国内企業が強みを発揮できるネットワーク分野や、コンテンツやサービス分野（プラットフォーム等を除く）等では、日本企業が活躍しているとしても、端末・機器分野やクラウド・データセンター分野、プラットフォーム分野等では海外企業に対抗できなくなっている。端末・機器分野では、半導体製造機器の生産で強みを発揮する日本企業があるものの、スマホを始めとするICT機器の主要分野で、アメリカ、中国、韓国、台湾等の後塵を拝しており、日本製品が存在感を示しているのはPCとその周辺機器に留まっている。特に、ネットワークを活用したクラウドサービスや、様々なコンテンツやアプリに場を提供するプラットフォーマー等がICT産業全体をリードする構造の下でアメリカと中国がしのぎを削っており、日本企業との差が開いている。具体的には、eコマース、クラウドサービス、SNS、オンライン予約等といった一般ユーザーにコミュニケーション、物品購入、情報収集等の多様なアプリケーションを提供する基盤となるプラットフォーマーにおいては、アメリカを拠点とする企業（GAFAM）が圧倒的な強みを持っており、中国企業がこれを追っている。日本企業もそれらに次ぐ存在と言えるものの、売上高の伸びを見ると、中国企業に大きく離されており、米中との差が開いていく傾向にある。

一方、国内のICT利用者を見ると、個人では世代間のギャップがある。メディアの利用時間を見ると、60代ではテレビのリアルタイム視聴に費やす時間が最も長く、また行為者率（この場合テレビの視聴者の割合）も高いのに対して（平日、休日ともに）、10代から30代までは平日、休日ともにインターネット利用に費やす時間、行為者率が高くなっていて、主要な情報を得る手段が世代間で異なってきており、次第にインターネットの役割が増大している[注7]。

企業では、DXへの取り組みがブームになっているが、例えばアメリカ企業では「会社の戦略に基づき」全社または一部の部門でDXに取り組んでいるとの回答が71.6％に及んでいるのに対して、日本企業では、45.3％に留まっている[注8]。

こうして見ていくと、主要国では、ユーザーサイドにおけるDXが進んでいるのに対して、日本では、高齢者の利用度が低いことや、勤労者層でも年齢が上がるにつれて利用度が低下する傾向がある上、企業における組織的なDXの取り組みにも遅れが見られ、今後、新しい技術、アプリケーションや機器の利用をマスターする再学習の普及がなお必要であるといえよう。

[3] 日本を取り巻く外部環境の変化と進むべき方向

日本を取り巻く外部環境、すなわち世界の動きには、DXや、地球環境問題とそれへの対応といったすべての国や地域が共通して直面しているテーマがあるとともに、中東、アフリカ、アジアと広い範囲に拡大しているイスラム教国対ユダヤ・キリスト教国の対立、米中対立、ロシアによるウクライナ侵略がもたらしたロシアとその友好国対NATO加盟国やその友好国との対立、北朝鮮対その軍事力強化に警戒を強める諸国の対立といった分断・緊張・対立も深まっている。したがって、今後、環境問題等の全地球的な課題に各国が協調して対応していくことが世界の基調となるのか、それとも分断がさらに深まって世界が共通のテーマで行動する機会は次第に失われていくのか、現代社会は大きな岐路に差し掛かっている。世界がどちらに進むことになるのかは、日本を含めて各国がその機会や脅威を考える上で、大きな影響を及ぼすことになるだろう。

もちろん、日本としては、再び顕在化してきた統治システムの差異等に根差した大国間の対立、あるいは容易に縮小しない経済格差に起因する南北間の対立等に関して、憲法で定めている国の在り方に立って、国際協調の観点で対立・緊張を緩和しつつ平和の維持を図ることが目標となるものの、その達成は容易ではないという見方もできよう。しかし、それでも大国間や南北間の間に立って同じ志の国々と連携し国際協調を図る必要があるのだろう。

3 日本の縮図としての新東海地域

これまで述べてきた日本が直面する厳しい状況や、その中で日本が生かしていくべき強みや、顕在化を避けるべき弱みは、日本全体に共通するものであり、日本の各地が多かれ少なかれ抱えるものである。本書は、こうした日本の課題を、特に新東海地域に焦点を当てて考えていこうとする。したがって、日本全体に共通する普遍的な課題への取り組みを論ずることになるとともに、そこに地域の特徴が織り込まれることになる。新東海地域は、以下に述べるように政令指定都市から山間の過疎地まで、生活環境において多様性のある活動空間を包含しており、そこには日本の縮図とでもいうべき凝縮された課題群がある。また、新東海地域は、国内でも産業活動においてかなり発達した地域であり、先駆的に新たな発展を遂げることが、今日の厳しい状況から日本を脱出させるうえで重要なカギを握る地域の一つである。まさに、その新たな展開に期待が集まる地域といってよい。

より具体的に述べれば、新東海地域は、広域連携論を取上げた11章でも広

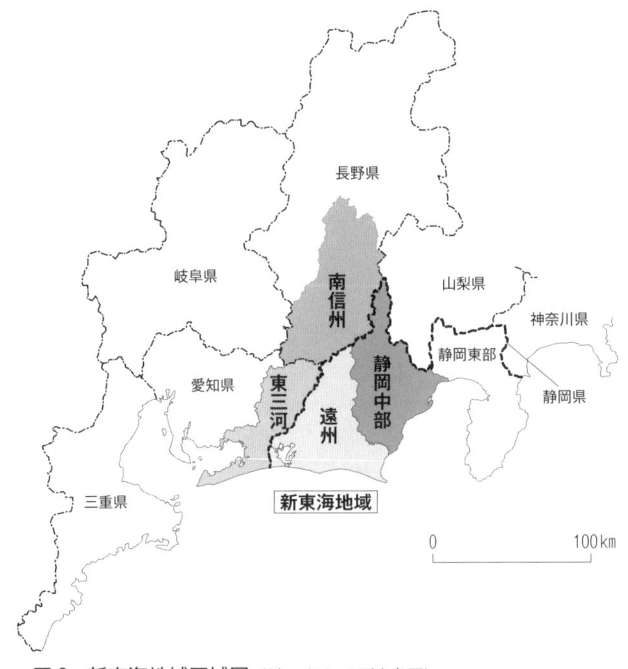

図2　新東海地域区域図（詳しくは47頁を参照）

域計画の観点から取り上げるように、三遠南信地域を構成する浜松市、豊橋市、飯田市をそれぞれ中心とした遠州地域、東三河地域、南信州地域と、静岡市を中心とした静岡県中部地域を合わせた地域である（図2）。この地域の愛知・静岡県部は東海道沿線地域に当たり、東京圏と名古屋圏を結ぶ位置にあって大都市の集積を受け止めつつ、温暖な気候に恵まれて多様な産業が発達して栄えてきた。一方で、南信地域は、飯田市を中心とした天竜川沿いの地域であり、古来から太平洋側との結びつきがあった。しかし、山間部のために主要都市圏との時間距離が障壁となって産業発展などの面で恵まれているとは言えなかった。それが、リニア中央新幹線の新駅が飯田市内にできて、首都圏と名古屋・大阪圏とを結ぶ“表街道”の一角を占めるようになることで、新たな可能性を引き出せると期待されている。同時に、三遠南信自動車道の整備が進めば天竜川に沿ったアクセスも改善されるので、南信と三遠の結びつきはより強まることになる。このように、新東海地域はリニア中央新幹線によって新たな発展が起こり得る地域といえよう。

しかし、現状を見ると、新東海地域は必ずしも発展途上にあるというわけではない。これらの地域の拠点都市である静岡市、浜松市、豊橋市を含む東三河地域では、既に人口減少が始まり、経済統計でも総生産額が減少または停滞傾向にあることが示されているからである。

表1は静岡市、浜松市、東三河の人口と域内総生産を示している。一人当たり域内総生産は全国値を上回っていて、豊かな県であることが分かる。特に東三河では、第1次産業と第2次産業の集積があり、全国的に見ても恵まれた産業構造となっている。この地域の産業を特徴付けているのは国際的にも有数な自動車関連産業の集積である。ただ、これまでガソリンエンジン車製造の拠点としてのそれであったので、今後バッテリーとモーターを使った電気自動車のシェアが増加し、さらに自動運転などの新たな技術が自動車に搭載されるにつれて、各国の電気自動車メーカーの台頭によって競争が激化し、この地域においても産業構造の転換ともいうべき変化が生ずることが予想される。

また、新東海地域の東部を占める静岡市は県庁都市として流通産業を含む第3次産業の生産額のシェアが大きい。しかし、流通拠点都市では、デジタル化の進展による産業再編が生じて物資の集散地としての中心性が低下する恐れもある。

表1　2政令市1地域のGDPと人口（GDP・億円、人口・人）

		2011年	2019年	2021年
静岡市		3兆1129	3兆5195	
	第一次産業	122	93	
	第二次産業	7,640	1兆503	
	第三次産業	2兆3201	2兆4471	
	人口	71万5798	69万8937	69万431
浜松市		3兆1442	3兆2498	
	第一次産業	245	229	
	第二次産業	1兆20	9,595	
	第三次産業	2兆1009	2兆2555	
	人口	81万8375	80万2856	79万6829
東三河		3兆1532	3兆4327	
	第一次産業	734	730	
	第二次産業	1兆3987	1兆7224	
	第三次産業	1兆6811	1兆6373	
	人口	76万5687	75万981	74万3618

（出典：「しずおかけんの地域経済計算」「あいちの市町村民所得」から東三河地域研究センター作成）

こうした中で、静岡市、浜松市、東三河では、ともに2010年代から人口減少が始まっており（飯田市では2000年から減少が始まった）、2015年から2020年の5年間においてはこれらの中で静岡市の減少率が最も高くなっている。政令指定都市を二つ擁しながら早々と人口減少に見舞われている背景には、高等教育機関や若い労働力を引き付ける就業機会に乏しいという弱点が顕在化したことがあると考えられる。このことから、全ての産業で今後生じる低炭素化やICTの導入による産業再編の過程で、とくにICTを使いこなす最新の教育を受けた人材の供給や、就業者の再学習が課題となる。

加えて、この地域がいわば宿命的に抱えているのが、先述のトラフ型地震や富士山の噴火という大規模自然災害への不安である。最も深刻な南海トラフ巨大地震では、冬の深夜に起こる最悪のケースで、静岡県で10.9万人、愛知県で2.3万人の死者が出る恐れがあると想定されている（全国では32.3万人）[注9]。静岡県ではそのほとんどが津波による被害であり、愛知県でも30％近くが津波による被害とされる。特に静岡県内では、海岸近くまで市街地が発達している地域が少なくないことが大きな被害想定に結びついている。中長期的には危険地域からの集落移転や、防災施設によるその防御が必要な対策となり、短期的には津波避難タワーや避難路・避難場所の整備等によって、建物等は被害を受けても生命を護ることが課題となる。

 スマートリージョンの展望

日本全体、そして新東海地域でも同様に、人口減少と経済縮小という我が国が平時においては初めて経験する変化が進みそうである。それは、戦後この地域を含めて日本が体験してきた発展指向を覆す変化、すなわち、経済が拡大し、所得が増え、家族が増えて、生活がより便利になるという発展的な変化とは異なる縮小に向かう変化といえよう。既に始まっている人口減少等による経済の規模縮小がさらに進んでも、一人当たりGDPに代表されるような国民生活の水準はできるだけ下げないようにするためには、国際的に高い評価を得ている精緻な技術力（強み）を生かしたモノづくりを維持するとともに、ICTを生産

活動や社会活動に積極的に取り入れて、効率化による生産性の向上を図ることが重要となる。

新東海地域においても、日本の得意分野である自動車産業が集積する地域としての利点を生かしながら、さらにDX（ICTの活用）を進めるとともに、地球環境保全などの世界的な課題に対応していくことが現実的な発展の道となろう。それは、本書のタイトルでもあるスマートリージョンを新東海地域において実現していくことに他ならない。こうした認識の下で、新東海地域の特性を踏まえつつ進むべき方向の諸側面を素描してみることを本章の役割としよう。

[1] 温暖な気候と高い利便性を生かした生活拠点

新東海地域に属する静岡市では、最寒期となる1月の平均気温は6.7度で全国の県庁所在都市で5番目に高く、年間積雪量は0cm（降雪日は2.6日）。一方で8月の平均気温は27度で全国の中位にあるなど、気候が温暖で穏やかな点では日本でも指折りの住みやすい地域である[注10]。沿岸部ではトラフ型の地震の恐れという自然の脅威への警戒は怠れないものの、日常生活では満足度の高い地域といえよう。

また、関東と関西の都市集積の間に位置し、これらの大都市圏との往来に便利な地域として地理的優位性を保持してきた。この利点は、関東の重みがさらに増すとしても、今後も大きくは変わらないであろう。将来リニア中央新幹線が東京と、名古屋さらに大阪を結ぶことになれば、新東海地域の太平洋沿岸はリニア・ルートから外れる。しかし、東京－名古屋－大阪の大都市圏を最短で結ぶ交通手段がリニア中央新幹線に移ることによって、東海道新幹線による地域へのサービスはむしろ向上すると期待できよう。つまり、新横浜と名古屋をノンストップで結んでいたのぞみ（上下線合計で一日最多350本以上の東海道新幹線運行本数の5割以上を占める）は不要となり、新横浜と名古屋間のいくつかの駅または全駅に停車するひかり、こだまクラスの本数が増えたり、途中駅での待ち時間が減少したりすることになろう。そうなれば、新東海地域の東海道沿いの各地は、高頻度のひかりで東京や大阪などと結ばれることになるうえ、こだまについても所用時間の短縮が期待できて利便性が増す。このように、リニア中央新幹線の開業は、新東海地域についても時間短縮、運行頻度増による大都市圏への、あるいは地域内相互間のアクセス向上をもたらすチャンスとなる。

また東三河から静岡県では既に第二東名高速が開通していることに加えて、列島横断方向にも静岡市と山梨県・長野県を結び、さらに新潟県・日本海に至る中部横断自動車道、三遠南信地域を貫く三遠南信自動車道が開業区間を増やしつつ整備進展中である。

航空路についても、中部国際空港に加えて、県立名古屋空港や静岡空港（富士山静岡空港）の利便性を高めて、地域の空港として活用することも進められよう。港湾については、清水港（国際拠点港湾）、御前崎港（重要港湾）、三河港（重要港湾）等があり、国内でも有数の物流拠点である（7章参照）。

こうした新東海地域の気候の良さ、地形の多様さ、交通の便利さを高く評価して、特に東三河地域が日本における農業の拠点としてさらに発展する可能性に着目したのが本書の特別寄稿である。

[2] スマートリージョンでの働き方

2020年からの新型コロナ感染症の流行で、対処措置としてにわかに注目されたのがテレワークである。テレワークという働き方自体は、日本でも1990年代初めから注目され、部分的に導入する企業も増えてきていたが、コロナ禍対策として普及の度を増した。大企業の中には、コロナ禍での経験を踏まえてテレワーク＝在宅勤務を働き方の基本として、業務で会社のオフィスに来るのは出張として扱うとの方針を示すところが現れている。そこまでの制度化は伴わなくとも、コロナ禍が一段落しても、テレワークという働き方を継続して、週に何度かは在宅勤務を認める企業は増えている。小規模企業では、むしろテレワークを前提として、会社に貢献ができる人材であれば、どこに居住していても勤務可能とする人事戦略をとる企業も少なくない。

テレワークを、会社の制度の下で週に一日以上在宅勤務等をしている雇用者と定義すると、**図3**のように伸びてきたことが分かる。こうした中で、政府は2003年にe-JAPAN戦略Ⅱを作成して、労働人口の20％（2010年度）をテレワーカー率の目標とした（KPIのひとつ）。この目標は2010年には達成できず2012年度に達成された注11。その後テレワーカー率はやや低下する傾向にあったが、コロナ禍で2020年度の調査（国土交通省が毎年年末に実施）から急増し、2021年度

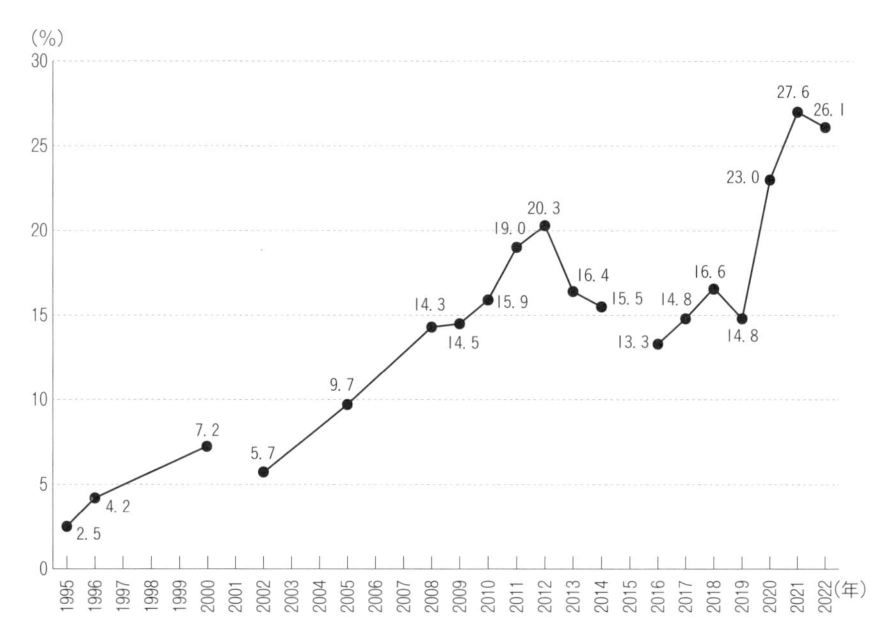

図3　雇用型テレワーク率（出典：テレワーク協会調査・国土交通省調査）

には27.0％に達し、2022年度の最新調査（26.1％）ではやや低下したものの高い水準を維持している。

テレワークの普及は、働き方や居住地の自由さを求める人々の欲求に根差しているとも言え、自由に生活の場を移すようなディジタルノマド（5章参照）といった働き方を行う人々も増加している。また、商品の販売においても、固定店舗や通信販売ばかりではなく、移動店舗による販売活動といった形態も新たに台頭してきている（4章参照）。その結果、居住地の選択における職場や大都市中心部への近接性という要素は重要度を下げ、より多くの人々が、居住や子育て環境を重視して地域の評価を行いつつ住居を定めるようになると考えられる。こうした傾向が続けば、各地域は子育て、自然との触れ合い、気候の良さ、コミュニティーの暮らしやすさなどのファクターを重視しながら暮らす場所＝働く場所として選んでもらえるように競うことになるのではないか。

テレワークの普及は、住宅にも影響を与えることになるだろう。高度成長の時代を支えた要素の一つが、長時間労働を厭わなかった日本人の勤勉さであった。中心になる働き手の在宅時間はそう長くなかったから、住宅における働き手の活動スペースの優先順位は低く、子供部屋などに削りとられがちであった。しかし、住宅が職場ということになればその分のスペースが必要となり、地価が安く住宅事情にゆとりのある地域で居住することが関心事となる。住宅には、オフィスとして使うための本格的な仕事場を設けることになり、家族の空間と仕事の空間との両立が求められる。現に前述の調査では住宅の狭さ、あるいはテレワークを行うスペースの狭さが転居動機になる傾向が表れている。せっかくテレワークが定着しつつあるこの機会に、ICT を活用して遠隔地から勤務するという技術的な側面だけではなく、自然環境や住環境に恵まれた住宅をベースにして就業と生活を両立させるという理想を実現させる人が増えることが望ましいだろう。

こうした観点から考えると、新東海地域は豊かな自然環境、温暖な気候、大都市へのアクセスの利便性等、生活の場としての好条件を備えている。大都市に仕事の本拠地がある場合においても、それぞれの働き手は、この地に住んで生活の満足度を高めるというスマートリージョンの生活術を発揮するようになることが期待される。

[3] スマートリージョンの社会形成

スマートリージョンは温室効果ガスの排出抑制や生活の質の向上といった地域のめざすべき幅広いテーマを共有している。そして、特に ICT の活用によってそれらを実現しようとするものである。スマートリージョンにおいて、ICT をフルに活用できる者と、そうではない者の間に格差を生まないためには、スマートリージョンで快適に暮らしていくための情報通信機器やアプリを多くの人が使いこなすことが必要となる。国語を理解したり、算数や英語の一定の知識、基本的な道徳を構成員が身につけていることが社会を円滑に動かしていく上で必須であるのと同様に、ICT の基礎知識や技能を構成員が習得することがスマートリージョンの形成には不可欠となろう。

こうした要請に応えるには、社会の構成員に学びの機会を提供し、構成員全体の ICT 習熟のレベルを高めることが必要となる。その基本となるのは義務教育において必要な知識を習得できるようにすることであろう。小学校におけるプログラミング教育が2000年から始まった我が国は、デンマーク等の欧州諸国に比べてICT教育が遅れていると指摘されてきた。義務教育課程において的確に学習機会を提供することによって、出遅れを取り戻していくことが求められよう。一方で、ICTの利用は既に社会全体に及んでいるから、これから社会に出る義務教育世代以下の人びとだけではなく、現在の高校や大学、さらには全ての成人世代にも学習機会を提供する必要がある。

このうち就業者に対しては企業による技能アップのための研修が進められていくだろう。企業が業務上で利用するアプリケーションを自ら作成したり、あるいは外注するにしても、発注作業やその監理を行うためには、高い専門性を持つスタッフが必要になる一方で、就業者全員が一定レベルの知識を有することが、テレワークの活用やセキュリティの向上のために不可欠である。企業における研修は、恐らくこの二つの目的を兼ねて実施されることになろう、つまり、高度な専門知識を習得して、いわばICT人材としての活躍が期待できる社員を見出すことと、社員全員のICT利用者としてのスキルアップである。

さらに、社会人全般に対する学習機会の提供も重要である。この点では地方自治体や、地域のNPOなどが種々の学習機会を提供してICT知識の普及に努める必要がありそうだ。もちろん、ICT関連企業にとってはビジネスの裾野を広げることに繋がるから、自治体やNPO等との協力が進むことは十分にあり得よう。

企業や社会におけるリスキリング（生涯学習による能力向上）では各地域にある大学等の教育研究機関も研修内容の高度化・体系化や、研修実務への協力等で主要な役割を果たすことができよう。新東海地域には、理工系など情報通信を専門コースとして持つ大学として、国立の静岡大学、豊橋技術科学大学、公立の静岡県立大学、私立の静岡理工科大学や愛知工科大学などがあり、産学公の連携を図ることで効果が上がりそうである。

加えて、社会全体のICT適合性を高めたり、関連産業を育成していく上で欠かせないのが先導役を果たすような新しい産業育成の試み、つまりICTを生かしたスタートアップ企業の増加である。ICTはそれを活用した技術革新が起業化をもたらすばかりではなく、ICTを活用することによってグローバルな発信、顧客獲得や資金調達の可能性を高める。この地域では、例えば名古屋から浜松にかけてのCentral Start-up Ecosystem Consortiumが形成されるなど、自治体の働きかけなどによるスタートアップを促す仕組みが設けられており、その成果に期待がかかる（特に社会における創造性増進の観点から8章参照、DX関連産業創出については6章参照、ケーススタディとして浜松、静岡（9章、10章参照））。

[4] スマートリージョンにおける安心・安全な生活

安心・安全な社会という点で、この地域の最大の関心は南海トラフ地震や富士山噴火等の大きな被害が心配されている自然災害時において被害を削減することである。ICTは、特に発生予測、迅速な発災通知や避難要請通知等に効果がある。防災施設の整備やその活用への意識を高めつつ、発災時避難誘導等によって自然災害からの安全性が高まれば地域の安心安全度は向上する。

そして、生活における安心・安全をさらに定着させるために重要となるのが、超高齢化社会への対応策を拡充することである。高齢化が進めば、高齢者の位置づけに変化が生じざるを得ない。まず必要なことは、高齢化の基準となる年齢の上昇である。長期のデータがある平均寿命は、1975年の男性約72歳、女性約77歳から、2021年には男性約81.4歳、女性約87.5歳と10歳程度延びた。健康寿命のデータはこれほど継続的には存在しないようだが、近年では、平均寿命との差異を男性で9歳程度、女性で12歳程度に保ちながら延びてきたと仮定すれば、現在では、男性で73歳程度、女性で75歳程度になっていると見られる。こうした健康寿命の延びに対応して定年の延長（65歳へ、さらに60代後半への延長）が必要となり、さらに70歳以上でも働く人が増加することになろう。

一方で、少子化によって、若い世代の人口が減少し、人口ピラミッドが逆三角形型や下のすぼんだ釣鐘型になっているので、医療保険制度、介護保険制度、年金制度（賦課方式）は、給付者の増加と負担者の減少によって絶えず見直さなければ維持できなくなる。つまり、高齢者も健康に働ける期間は所得を得ることによって、保険料や税の負担を通じて保険・年金制度を支える役割を担うことが避けられない。このように、人々の意識の上でも、社会制度の上でも、就業者の高齢化が進むことになる。

しかし、当然ながら、高齢者にとっては、若い世代のように働けば、次第に身体的な負担が大きくなるので、働くとしても身体的負担を軽減することが必要となる。そこで重要な役割を果たすべきなのがICTである。健康か病気かの二分、就業者か定年退職者かという二分ではなく、身体的状態に応じて、作業内容や労働時間における負担を軽減しながら働くことを定着させていくことが必要となる。これまでシルバー人材の活動分野は比較的単純な肉体労働が多かった。しかし、むしろ様々な知識を必要とするが、身体への負荷はそれほど伴わないような業務の方が高齢者に向いているとも言えよう。もちろん肉体的衰退とともに知能や反応速度等の減退も不可避となろうから、どのような業務が可能なのかを、本人はもとより、業務を管理する側でも的確に把握することが必要である。要は、より多くの人が、状況に応じて社会への貢献を果たし得る制度を作っていくことによって、医療・介護・年金制度を破綻させず、かつ高齢者が生きがいを持てる社会を構築していくことが必要となるのではないか。

医療についても、DXによってもっと効率化を図る方法がありそうだ。医療のスマート化は遠隔電子診断や治療等の高度なレベルへ挑戦することばかりではなく、予約管理、電子カルテ、支払いの電子化、治療実績の医療機関間の共有等、既に実績のある分野でさらに普及できそうなことは多いのではないか。加えて、医薬分業の下で、ICTや宅配を組み合わせることによって診療と調剤との連携を進めれば、患者の負担をもっと軽減することができるだろう。

[5] 地球環境問題等への取り組み

スマートリージョンの意味するところは、ICTの活用を中心とするとしても、既に見てきたように、その活用対象は生産活動から生活の各場面まで多様である。特に、化石燃料の利用削減、循環型社会の実現、原子力の利用抑制や放射性物質の安全管理等の国内外で重要な社会課題となっていることに地域社会が積極的に取り組むうえで、ICTの活用に期待がかかる。つまり、ICTの活用を目的化するのではなく、ここに挙げたような問題を含めた種々の解決するべき社会課題に地域が積極的に取り組んでいくことを目標に掲げ、その手段としてICTの活用を位置付けるという発想が重要ではないだろうか。

振り返ると、「スマート」という用語は、安定供給に難のある再生可能エネルギーを、系統電源と組み合わせて、最大限に実用化する方法の模索から生まれた概念（スマートグリッド）でもあった。日本でも、ようやく太陽光や風力といった再生可能エネルギーが主力電源の一角を占めるようになり、かつ供給調整機能を担うバッテリーの技術革新や性能向上も進んできた現在、スマートグリッド等への取り組みはより現実性を増してきた。

また、現状では炭素を含む天然ガスを起源とする都市ガスは、燃焼すれば二酸化炭素を排出することになるが、将来、二酸化炭素と水素の結合によって合成メタンガスを生成し、都市ガスとして供給すれば、二酸化炭素は新たに発生しないことになり（e-メタン：再生可能エネルギー起源の電力によって水から生成された水素と二酸化炭素を原料としてメタンガスを製造すれば（メタネーション）、温室効果ガスを新規に発生させない都市ガスができることになる）。各家庭でこのガスを熱源として利用する際に生じる排熱を使ってコ・ジェネレーションを行えばエネルギー効率は高まる。こうした対策の一つ一つについての実用性を高めて、効果を上げていくことが望まれる。

［6］多様な主体の連携

本書で論じる新東海地域におけるスマートリージョンの形成は、居住人口が350万人に及ぶ地方圏としては大規模な地域連携である。この地域は、本章でも述べたように自然・社会・経済条件において大都市間に存在する、太平洋に面している等の特徴を共有しているものの、政令市といった大規模都市集積から農山村漁村といった佇まいの居住形態まで、まさに日本の縮図ともいうべき多様性を持っている。そのため、この地域を構成する様々な居住形態を結びつける役割を果たす行政・産業・教育研究機関・市民組織も多様なものとなり、また、これからの発展において重要な鍵を握るとされるICT活用と通じたスマート化の具体的な内容も多様性を帯びることになる。

多様な主体間の連携やスマート化の中で、先行しやすいのが、産業分野、つまり企業間の広域にわたる連携、あるいは種々のスマート化であろう。企業にとっては垂直・水平の連携は原材料から製品製造・販売に至る産業構造形成そのものを意味するから行政域や地理的近接を超えて拡大し、様々な連携を進めていくことが重要な活動となる。したがって、商工会議所をはじめとする経済・産業団体も連携に積極的に取り組んできたし、これからも先導的な役割を担うと期待される。もっとも企業にとっては新東海地域という枠組みも十分な広がりではなく、全国や海外も視野に入れた連携活動を展開しているケースが少なくないのは周知のことである。また大学等の高等教育機関も、学生の出身地や研究ネットワークに地理的な制約を課さないことが好ましく、広域化の指向が強い。

これに対して、圏域の制約が強いのが行政である。国内にあまねく行政サービスを施すという観点や、地方自治という観点から、課税とサービス提供の範囲は厳密に定められている。しかし、一方で広域協力による効率化や質の向上から広域行政の必要も認識されている。したがって、行政間の連携が進むように、広域の社会全体が恩恵を受けるように内容を包括化したり、効果を具体的なものとしていくことが必要となる。

住民組織は、一般に生活圏を中心に形成されることが多いから、本来の活動の場は、行政域よりも狭い場合が多い。しかし、各地で同じようなテーマで活動している住民組織が存在していたり、それぞれの活動が他の地域にも共感を与える場合が多いともいえよう。加えて、住民組織間は競争的な関係にあるわけではないから、住民組織間の情報交換や交流は活発に行える可能性がある。地域に存在する組織体のこうした特性を踏まえて、多様な地域間連携を促していくことによって、新東海地域の活動が生産的、かつ問題解決型に展開されていくことが期待されよう（3章参照）。

注

1　日本経済研究センター「長期経済予測」デジタル資本主義の未来　日本のチャンスと試練、2019年12月4日
2　IMF（国際通貨基金）対日報告書で40年後に日本のGDPが25%下振れの可能性を指摘。
3　文部科学省科学技術・学術研究所（2022）「科学技術指標2022」第1章・第2章
4　総務省『情報通信白書2023年版』73頁
5　JETRO「Invest Japan」2021年春、1頁（元データはStatista）
6　総務省『情報通信白書2022年版』47頁
7　総務省『情報通信白書2022年版』第2部第3章第8節、同2023年版第2部第4章第1節
8　前掲書（2022年版）第2部第3章第8節
9　内閣府「南海トラフ巨大地震の被害想定」中央防災会議・防災対策推進検討会議・南海トラフ巨大地震対策検討ワーキンググループ　2012年8月29日。東海地方が大きく被災するケース。
10　気象データは理科年表から。
11　2003年KPIは雇用型就業者と自営型就業者の区別をしていないが、雇用型が就業者全体の90%を占めるので、値としては2010年には16.5%と雇用型就業者のそれに近い。

スマートリージョンビジョンの提言
──新東海地域を例に

スマートリージョン研究会

1 スマートリージョンの意義・機能

[1] これからの地域課題

1 連坦する都市構造の課題

我が国の通勤・通学者数は、2020年現在、約6590万人であり、自らの市町村を通勤・通学先としている割合（「自都市率」と称す）は62.8％と約6割を占めている（表1）。人口規模別にみると、人口規模が大きいほど、自都市率が大きくなり、職住近接形態が進んでいる。自都市以外の動きをみると、「100万人以上の都市」（9.6％）、「10万人以上の都市」（7.5％）、「3万人以上の都市」（6.8％）へ通勤通学している率が高い。2015年～2020年における人口規模別の通勤通学率の変化をみると、「10万人以上の都市」では、「30万人以上の都市」「10万人以上の都市」「3万人未満の都市」への通勤通学率が高まっている。三大都市圏の常住者を除いてみると、「30万人以上の都市」では「30万人以上の都市」を含めたそれよりも小さい都市への割合が高まっており、「10万人以上の都市」でも概ね同様の傾向が窺える。「3万人未満の都市」への割合は高くないものの、2015～2020年にかけて全ての人口規模で高まっており、小規模都市への人の流れ（通勤通学）が徐々に高まっていると言える。

中心市街地などの人口集中地区における定住人口をみると、高度利用や再開発が進んで人口密度が高まる地域があるなか、東京都を始めとする首都圏以外では人口密度が低下する傾向であり、依然として東京一極集中が進んでいる

表1　人口規模別の通勤通学率(%)の変化

常住地	通勤通学先	自都市	100万人以上の都市	50万人以上の都市	30万人以上の都市	10万人以上の都市	3万人以上の都市	3万人未満
2020年	100万人以上の都市	74.2	8.8	0.9	2.5	3.8	2.6	0.5
	50万人以上の都市	71.2	9.8	1.1	2.0	5.2	4.6	1.3
	30万人以上の都市	63.6	13.6	1.3	3.1	6.5	5.2	1.6
	10万人以上の都市	58.6	11.7	2.2	4.3	8.6	7.2	2.5
	3万人以上の都市	54.8	7.9	2.8	4.7	10.8	10.1	5.1
	3万人未満	54.6	2.8	1.9	4.2	9.8	14.2	9.9
	合計	62.8	9.6	1.8	3.6	7.5	6.8	3.0
2015～2020年における通勤通学率の差	100万人以上の都市	△1.9	△0.6	△0.3	+0.2	△0.3	△0.2	△0.0
	50万人以上の都市	△1.7	△1.0	△0.1	+0	△0.3	△0.0	+0.2
	30万人以上の都市	△3.0	△0.1	△0.2	+0.1	△0.0	△0.2	+0.1
	10万人以上の都市	△2.3	△0.8	△0.3	+0.2	+0.1	△0.2	+0.1
	3万人以上の都市	△1.8	△0.5	△0.2	+0	△0.1	△0.4	+0.5
	3万人未満	△1.3	△0.3	△0.0	△0.1	△0.4	△0.2	+0.4
	合計	△1.9	△0.5	△0.3	+0.1	△0.2	△0.3	+0.1
三大都市圏を除いた2015～2020年における通勤通学率の差	100万人以上の都市	△2.7	△0.2	△0.0	△0.0	+0.1	△0.2	+0
	50万人以上の都市	△2.8	△0.1	△0.0	△0.0	△0.1	△0.0	+0.2
	30万人以上の都市	△2.8	△0.4	△0.2	+0.1	+0.1	+0	+0.2
	10万人以上の都市	△3.1	△0.1	△0.1	+0.1	+0.3	△0.1	+0.1
	3万人以上の都市	△1.8	△0.4	△0.1	△0.1	△0.1	△0.4	+0.6
	3万人未満	△1.3	△0.2	△0.0	△0.1	△0.5	△0.1	+0.4
	合計	△2.2	△0.3	△0.1	△0.0	△0.1	△0.2	+0.3

(出典：「国勢調査」を利用して作成)

注1：通勤通学率（単位は%）は不明者がいるため、100%にならない。
注2：東京23区は、特別区としてまとめており、政令指定都市は市全体で整理している。
注3：三大都市圏（埼玉、千葉、東京、神奈川、愛知、京都、大阪、兵庫）の常住者を除いた通勤通学率を示している。

(図1)。また、空き家は、1988年から2018年にかけて、131万戸から349万戸と2.5倍以上増加し、三大都市圏でも空き家率は高まっており、空き家が地域の景観や資産価値、さらには治安、防災などにも影響を及ぼす大きな問題に発展しかねない状況にあると言える(図2)。

このように人の流れが小規模都市地域で高まる傾向がみられ、首都圏を除き、土地の低密度利用が全国的に広がりつつある。こうした中、国土交通省では、人口減少社会に対応した「コンパクト＆ネットワーク型」の都市構造をめざすことを謳っているが、連担する都市構造を持つ地域を一つとして捉えた広域的な立地適正化計画等の立案が進んでいるわけではない。このため、広域的な視点から、産業面、生活面(交通、居住など)に配慮した都市構造(土地利用構造等)

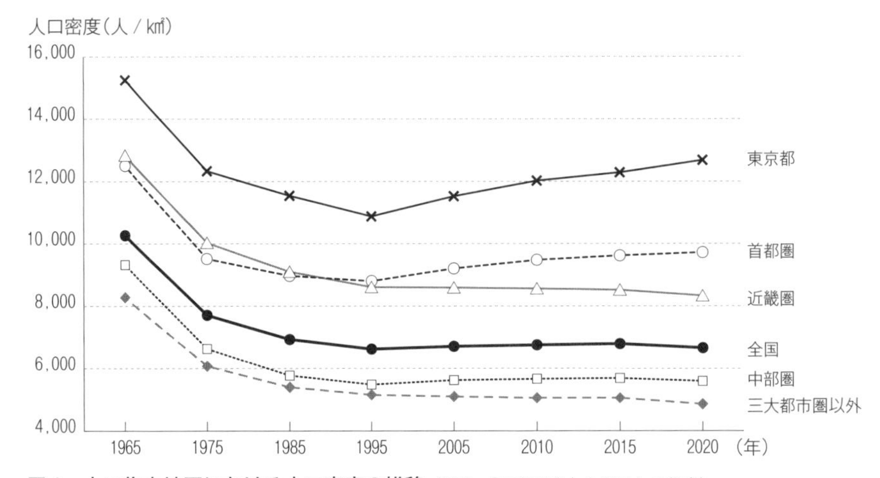

図1　人口集中地区における人口密度の推移（出典：「国勢調査」を利用して作成）

注：首都圏とは埼玉・千葉・東京・神奈川を、近畿圏とは京都・大阪・兵庫を、中部圏とは岐阜・愛知・三重を指す。

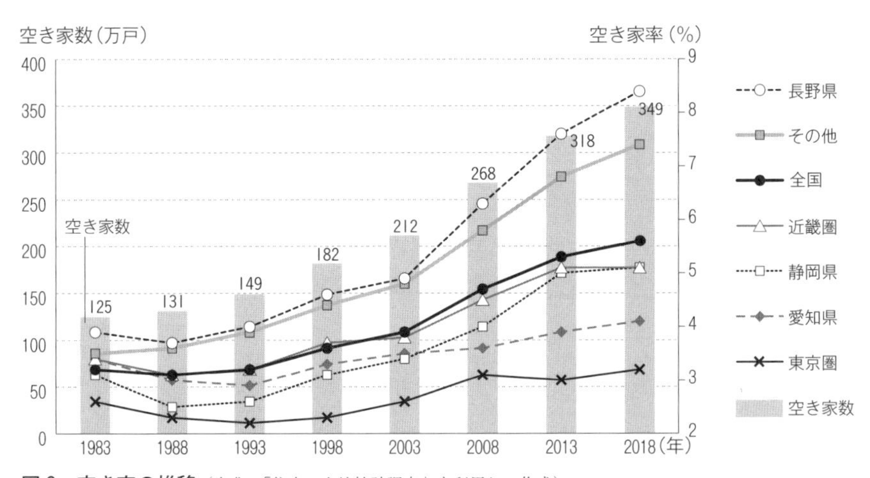

図2　空き家の推移（出典：「住宅・土地統計調査」を利用して作成）

注1：住宅・土地統計調査では、空き家の定義として「二次的住宅」（別荘等）、「売却用住宅」、「賃貸用住宅」、「その他の住宅」とあり、ここでは問題が大きい「その他の住宅」を空き家としている。
注2：空き家率（%）＝空き家数（その他の住宅）／総住宅数
注3：東京圏とは埼玉・千葉・東京・神奈川を指し、近畿圏とは京都・大阪・兵庫を指す。

を考えていくことが重要であり、そのためには広域連携が必要である。

2 デジタル化の急速な進展と情報産業の偏在性

ICTを活用したデジタル化やAI、IoT等のデジタルトランスフォーメーション（DX[注1]）は、急激なスピードで進化している。特に、自動運転技術の進歩は目覚ましく、2023年4月1日より、改正道路交通法が施行され、特定自動運行に係る許可制度を活用したレベル4（**表2**）での技術・サービス実証実験が福井県永平寺町で始まっている。その自動運転にはAIの技術革新が不可欠であり、自動運転領域以外にも、商品の需要予測、お掃除ロボット、工場における不良品検知、企業が抱える労働力不足や災害への対応等への解決ツール、生産の効率化等によるコスト低減化、リスク対応力の強化等、AIの活用領域は飛躍的に拡大している。また、2022年11月から公開されたchat GPT[注2]は、人間のように自然な会話ができるAIチャットサービスとしてその利用が様々な分野で急速に広がる等、AIの進歩が新たなデジタルサービスを生んだり、業務の効率化等を促している。さらに、2023年、国産の量子コンピュータが稼働し始め、スパコンを凌ぐ演算処理能力を生かして新薬の開発、道路渋滞の緩和、温暖化による気象予測等への活用が期待されるとともに、災害予測技術の向上により災害対策に対する精度が高まるなど、大きな効果が期待されている。

こうしたデジタル化の動きは、スマート農業、スマート物流等といった新しい産業形態を台頭させるとともに、地域産業振興の産業創出の視点においてもICTを活用したビジネス創出への期待が全国的に高まっている。同時に、私

表2　自動運転のレベル分け

レベル		内　容
ドライバーによる監視	レベル1	○運転支援 ・システムが前後・左右のいずれかの車両制御を実施。 例　・自動で止まる（自動ブレーキ）。 ・前のクルマについて走る。 ・車線からはみ出さない。
	レベル2	○特定条件下での自動運転機能（レベル1の組み合わせ） 例　・車線を維持しながら前のクルマに付いて走る。 ○特定条件下での自動運転機能（高機能化） 例　高速道路での自動運転モード機能 ・遅いクルマがいれば自動で追い越す ・高速道路の分合流を自動で行う。
システムによる監視	レベル3	○条件付き自動運転 ・システムが全ての運転タスクを実施するが、システムの介入要求等に対してドライバーが適切に対応することが必要。
	レベル4	○特定条件下における完全自動運転 ・特定条件下においてシステムが全ての運転タスクを実施。
	レベル5	○完全自動運転 ・常にシステムが全ての運転タスクを実施。

（出典：「自動運転の実現に向けた国土交通省の取り組み　参考資料」（国土交通省）をもとに作成）

たちの生活環境では、新型コロナウイルス感染症（以下、Covid19）の拡大によって、非接触型の環境整備や遠隔の地域間をものや情報が効率的に動くための5G[注3]サービス等の環境整備が進み、働き方・学び方としてリモートワーク、オンライン授業（**表3**）が浸透するとともに、ものやサービスの取引における電子商取引の普及度合いが強まっている。

これまで地域活性化の重要な施策として定住人口、交流人口を増やすことが重視されてきたが、今日ではこれに加えて関係人口に対する期待が高まりつつあり、移動通信システム基盤の充実化が隣接する地域間（空間的な近接性）による連携だけでなく、遠隔な場所の人や企業などとの連携を容易にし、より多様な人たちが関与して地域課題の解決策を考えられるような条件が整ってきている。

地域では、地域課題の解決に向けて、デジタル化の活用が自治体と民間事業者の連携・協働により、民間主導で既存の行政界の制約を受けない形で実装が進み、教育現場等にも導入されている。

しかしながら、こうした動きは全国一律で進んでいる訳ではなく、自治体のデジタル化に対する取組姿勢などの影響も受けて様々である。実装化を支援する情報系産業は、人口などと比べて大きく偏在（**図3**）しており、地域企業だけ

表3　テレワーク・オンライン授業等の導入状況

項目	内　容
働き方 ※テレワーク	・2021年度「国土交通省のテレワーク人口実態調査」によると、雇用型テレワーク（ICT等を活用して、普段出勤して仕事を行う勤務先とは違う場所で仕事をすること、または勤務先に出勤せず自宅その他の場所で仕事をすること）は27%であり、前年度より4ポイント上昇している。 ・第5回「新型コロナウイルス感染症の影響下における生活意識・行動の変化に関する調査」（2022年7月22日）（内閣府）によると、テレワークの実施率（就業者、2022年6月調査）では全国で30.6%、東京都23区で50.6%、地方圏で22.7%であり、2021年9～10月の時よりも東京都23区（55.2%）、全国（32.2%）、地方圏（23.5%）と低下しているものの2割以上となっている。
学び方 ※オンライン授業	・第5回「新型コロナウイルス感染症の影響下における生活意識・行動の変化に関する調査」（令和4年7月22日）（内閣府）によると、オンライン教育の小中学生の受講状況（2022年6月調査）では全国で31.4%、東京都23区で53.2%となっており、2020年5～6月（全国で45.1%、東京都23区で69.2%）の時よりも低下しているものの3割以上となっている。 ・第2回「新型コロナウイルス感染症の影響下における生活意識・行動の変化に関する調査」（2020年12月24日）（内閣府）によると、オンライン教育の高校生・大学生受講状況（2020年12月調査）では、高校生は29.2%、大学生は87.7%となっており、2020年5月の時よりも高校生（50%）、大学生（95.5%）ともに低下しているが、概ね3割以上となっている。

で推進していくことは困難である。情報リテラシーも、東京を含む南関東が他地域よりも高く、格差がみられ（図4）、そうした人材を育成していく環境には

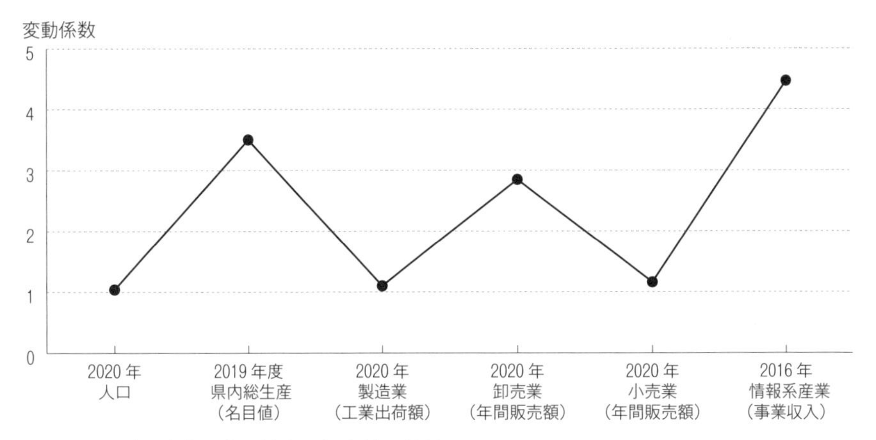

図3　ICT系の産業と人口等との偏在性の状況（出典：2020年人口は「国勢調査」、2019年度県内総生産は「県民経済計算年報」、2021年「経済センサス活動調査」、2016年情報系産業（事業収入）は「特定サービス産業実態調査」を利用して作成）

注1：情報系産業とは、ソフトウェア業、情報処理・提供サービス、インターネット附随サービス業の合計である。また、事業収入とは、それらの業種に関わる情報サービス、インターネット附随サービス事業の収入を指す。
注2：変動係数＝標準偏差／平均値（数値が大きいほどバラツキが大きいことを示す）
注3：変動係数は、都道府県データに基づいたものである。

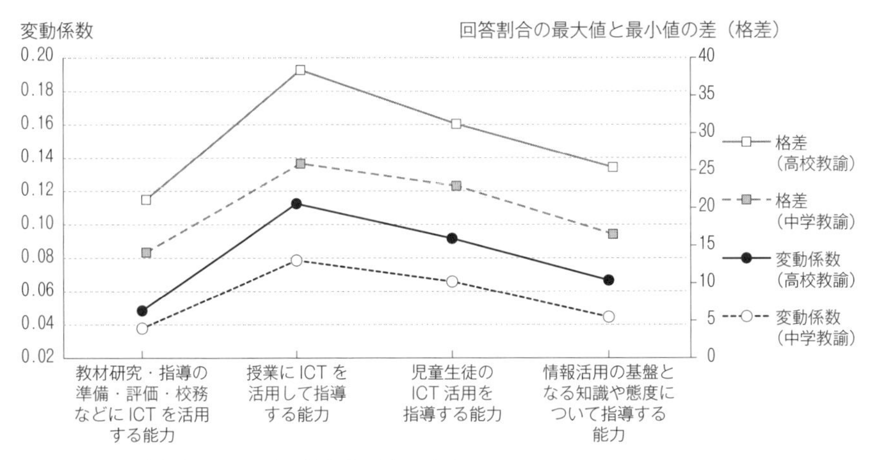

図4　中学・高校教員における情報化教育の能力（出典：「学校における教育の情報化の実態等に関する調査」（2021年度）を利用して作成）

注1：都道府県別「教員のＩＣＴ活用指導力」の状況（「できる」もしくは「ややできる」と回答した教員の割合）の変動係数。
注2：変動係数＝標準偏差／平均値（数値が大きいほどバラツキが大きいことを示す）

地域格差（図5）が生まれている。

デジタルに関わるイノベーションは日進月歩であり、技術の陳腐化も速いため、持続的に情報系人材を育成・確保していくことが求められる。しかし、将来的な生産労働人口（15～64歳人口）は、現在よりも偏在性が高まること（図6）が予想されているため、地域の情報系人材の不足が新たな地域格差を生じさせるのではないかとの不安が残る。

このようにICTの利活用の領域は拡大し、技術革新も急激に進んでいる一方で、それを担う情報系産業の偏在性や、自治体のICTに対する取組姿勢などが要因となり、実装化を取り込めた地域と、そうでない地域では新たな格差が生まれることが懸念され、それが隣接する地域で発生する可能性が高まっている。

人口減少社会下で情報系産業を担える人材は有限であり、しかも大都市圏に集積しているため、地方圏では単独の地域（自治体）だけで対応しようとすれば、

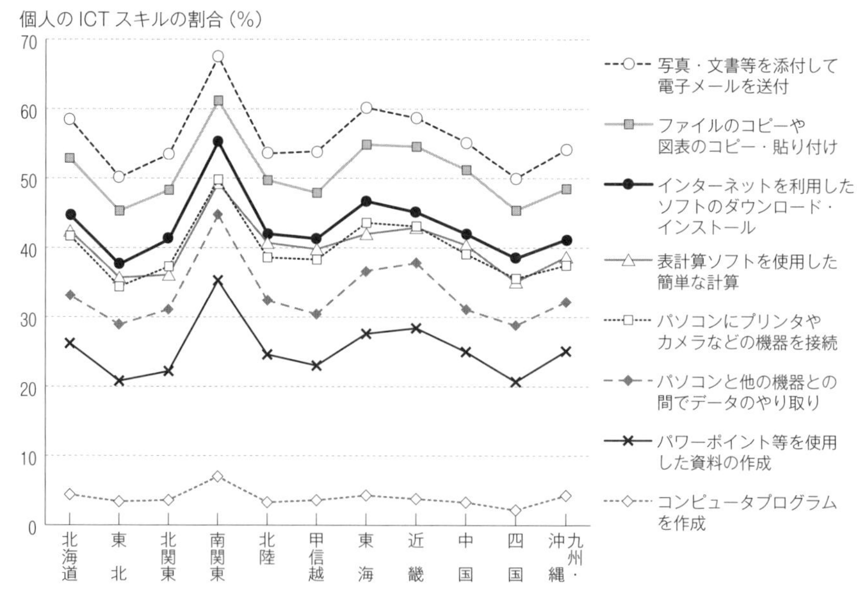

図5　個人のICTスキルの割合（出典：「2021年通信利用動向調査　世帯編」を利用して作成）

注：図中の東北は「青森、岩手、宮城、秋田、山形、福島」、北関東は「茨城、栃木、群馬」、南関東は「埼玉、千葉、東京、神奈川」、北陸は「富山、石川、福井」、甲信越は「新潟、山梨、長野」、東海は「岐阜、静岡、愛知、三重」、近畿は「滋賀、京都、大阪、兵庫、奈良、和歌山」、中国は「鳥取、島根、岡山、広島、山口」、四国は「徳島、香川、愛媛、高知」、九州·沖縄は「福岡、佐賀、長崎、熊本、大分、宮崎、鹿児島、沖縄」である。

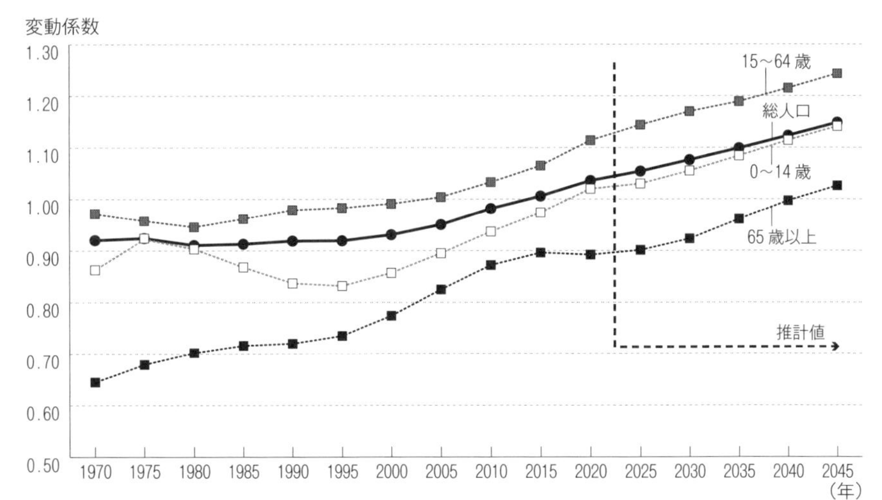

図6　人材の地域間偏在性の推移（出典：「国勢調査」、国立社会保障・人口問題研究所「日本の地域別将来人口（2018年推計）」を利用して作成）

注1：2025年以降は推計値
注2：変動係数＝標準偏差／平均値（数値が大きいほどバラツキが大きいことを示す）
注3：変動係数は、都道府県データに基づいたものである。

数少ない情報系産業人材を奪い合うことになりかねない。そこで、地域に賦存する人材・技術・施設等を広域的な共有財産（資源）として位置づけ、地域課題を解決に導く活動に活かしていくための広域連携が必要不可欠なツールとなる。

3 ICTの実装化に潜む課題

ICT実装化の取り組みは、全国で進んでおり、そこには地域企業のみならず域外企業も積極的に参加できる仕組みができている（表4）。しかしながら、そこで開発・利用されるシステムは、参画した企業が独自のソフトウェアを開発する機会となっていることが多いため、実証実験のシステムをそのまま利用して実装化を進めていった場合、隣り合う地域で異なるシステムが併存することとなる。その結果、隣接する地域間で同様なサービスについて、統合化していこうとした場合、システムを繋げることが技術的に困難になるケースが出てくる。一般的には、どちらかのシステムに統合していくこととなるが、移行する側では新たな投資（二重投資）が必要となり[注4]、異なるシステムをそのまま利用するのであれば、それぞれのシステムに対応したプロトコルをお互いに整備することが必要になる。

表4　地域におけるICTを活用した実装化を進める組織等

地域	内　容
ひろしまサンドボックス（広島県）	•ひろしまサンドボックス推進協議会を立ち上げ、実証実験のコンソーシアムを創生し、実証プロジェクトを募集して推進。 •協議会は、技術／ナレッジの共有（実証実験データのオープン化等）、会員間の交流促進（マッチングによるプロジェクトの創出など）、情報共有・発信の役割を果たしている。 • 2021年10月時点で県内外から2300社程度が参加。 ① 自由提案型実証プロジェクト（2018年から開始～2020年まで） 　• 9件、3年間10億円規模 ② 行政提案型実証プロジェクト（2019年途中から） 　•県庁内の各課主導型　1000万円／件 ③ サポートメニューを提供（パートナーとの協働企画） 　•それぞれのプロジェクトでは、県内企業のみならず、県外企業も参加して進められており、本事業が契機となって、県内にオフィスを設ける企業が現れている。
東三河ドローン・リバー構想推進協議会（愛知県豊川市、新城市）	•未来技術の社会実装を通じた地方創生の深化を図り、ドローン・エアモビリティに関する新産業の集積をはじめとする地域経済の活性化及び地域課題の解決に向けた取り組みを推進する目的で、2020年8月に設立。2022年3月現在、会員56社（行政2団体含む）、協力会員26社（域外企業等）である。 •物流、作業省力化、災害対応の3つの研究会を設置し、それぞれの分野ごとに社会実装モデルの構築に向けた具体的な事業を推進している。 （物流研究会）：過疎地域や河川での3D飛行ルートの構築、輸送サービスの効率化など （作業省力化研究会）：農業及び林業におけるセンシング、物資輸送、獣害被害把握、工事・測量等の安全確保など （災害対応研究会）：災害初動体制の構築など

（出典：本研究会の講演録並びに、インタビュー調査をもとに作成）

こうしてシステムの実装に際しては、サービスの高度利用の観点から改善の余地があるとともに、他の種々なシステムとの繋がり（リンケージ）が一層求められることとなる。このため、ICT実装化では、オープンイノベーションの考え方を導入し、できる限りシステムの標準化、システム互換性・拡張性を確保できる仕組みを、官民連携、広域連携で進めていくことが必要である。

このようにICTの活用機会が増え、高度化されたデジタル社会が進むことにより、誰もが多様な利便性を享受できる環境整備が進むこととなる一方で、新たな地域格差が生まれる可能性が高まることが指摘できる。

「スマートリージョン」とは、こうしたICTで広がるデジタル社会によって生ずる新たな地域格差を最小限に留め、我が国の地域社会が抱える人口減少・少子高齢化、温室効果ガスによる温暖化などの環境変化、自然災害への適応・緩和などの課題に対して、産・学・官・金・民が連携して様々な知恵を出し合い、地域外の多様な組織との繋がりやICTの実装化による課題解決策を講じながら、ICTをフル活用して解決していこうとする複数の自治体圏域による広域連携を指している。

[2] スマートリージョンの意義

これまでの広域連携では、隣接・連担する都市や都市圏・中山間地域が連携することにより、生活利便性の向上や、産業経済の高度化・イノベーションの創出等の効果を発揮してきた。これからの広域連携では、隣接・連担する多様な資源を活用するだけではなく、域外からも容易にアクセスできる環境整備が求められ、それはICTなどを活用することで実現できる。その際、地域社会におけるデジタル化の目標を何に定めるかが重要になる。

スマートリージョンの目標は、何もかもが便利で効率的になり、競争優位性を高められるような地域づくりに留まるのではない。その地域に住む人、その地域で活動する人、その地域に訪れる人などが、暮らし続けていける地域、暮らしやすい地域としての満足度を高め、ウェルビーイング（＝ひとにやさしい地域）の視点から複雑な社会課題の解決や、新たな価値創出による持続可能な都市や地域を形成することである。あわせて、人口減少社会、グローバル競争のもとで、新たなスマート産業の創出を促し、地域の多様なシステムを円滑に結びつけられることが必要である。スマートリージョンとは、これらを目標として、戦略的に連携を進める広域地域を指している。

[3] スマートリージョンの基本機能

スマートリージョンでは、誰もがウェルビーイングを感じられる広域的な地域づくりを進めていくため、**図7**の四つを基本機能としてICTと結びつけた戦略的な連携を進めることとする。

1 誰もが多様な働き方・学び方を実現できる

テレワーク等が導入され、会社・学校のみならず、家庭、サテライトオフィス、リゾート地など、様々な場所で働いて学べるとともに、高齢者や障碍者でも不自由なくそうした機会が提供される地域である。

Covid 19などの状況変化に伴い、テレワーク環境が充実し、多地域居住や、

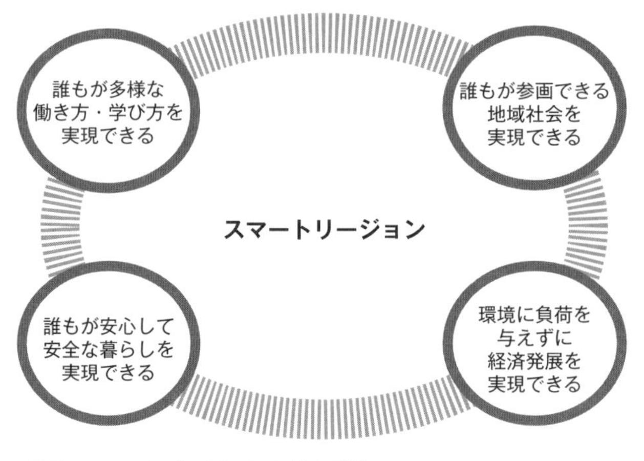

図7　スマートリージョンの基本機能

田舎に暮らしながら大都市の仕事を行える等の社会環境が整備され、密な空間から疎の空間への関心や移住などが進展する。

2 誰もが参画できる地域社会を実現できる

ネット社会が普及し、世界中の誰とでもコミュニケーションできる環境が整備されてきたが、地域づくりは地域の定住者に委ねられているのが実情である。これからの地域づくり（地域経営）では、定住者にこだわらず、関心や協力できる多様な人（関係人口など）が参画できる地域社会を実現する。

関係人口から移住などへの移行が期待される中、より地域づくりに関わった関係人口づくりを進めていくことが重要である。

3 誰もが安心して安全な暮らしを実現できる

自然災害への適応、緩和などの対策を図り、被害の未然防止、被害の低減化、迅速な復興を可能したり、医療や福祉、子育てなど、人のライフサイクルに安心感をもたらすサービスを提供できる地域である。

世代に関わらず安心できる地域づくりが重要である。

4 環境に負荷を与えずに経済発展を実現できる

温室効果ガスを極限まで減らしてカーボンニュートラルなどを実現し、誰もがスマートリテラシーを高め、生産性、効率性を高められるようなスマート産業を根付かせ、新しく創出させる地域である。

② スマートリージョンで広がるスマート産業

スマートリージョンの展開によるウェルビーイングを実現するためには、生活・社会面、行政面、経済・産業面での多角的な取り組みが必要であるが、ここでは、東海エリアの特色である産業面に焦点をあてて考えてみた。

スマート産業とは、スマートリージョンの四つの基本機能にICTが結び付き、産業として形成されたものを指している。それは、従来の産業分類等とは異なり、地域に賦存したり、域外から獲得する五つのリソース（ファシリティ、デジタル、モビリティ、ライフ、ヒューマン）をICTによるコミュニケーションツールで結び付いた産業である（図8）。

[1] スマートリージョンを形成する五つのリソース

1 ファシリティ・リソース

工場、農場などを拠点として製造物等を創出したり、道路・橋、エネルギーなどのインフラ整備をするリソース。

例：遠隔事務ワーク・遠隔会議システム（テレワークシステム）

例：ロボット生産システム・遠隔管理システム（無人工場）

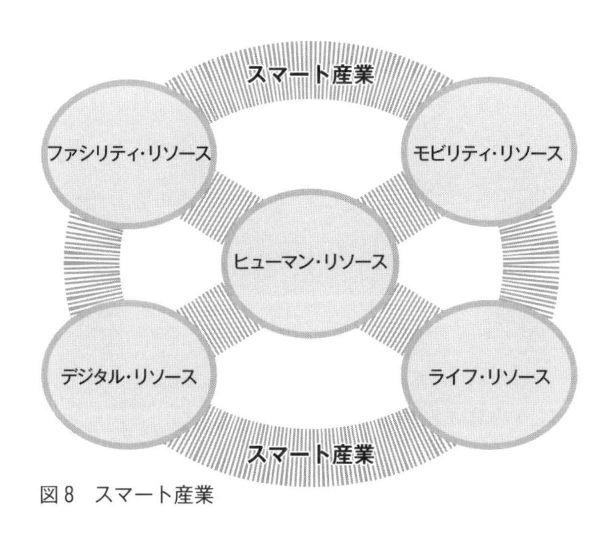

図8　スマート産業

例：工事ロボット・遠隔管理システム（遠隔工事システム）

例：メンテナンスロボット・遠隔検査

例：栽培制御システム・選果ロボット（スマート農業）・農産物等の生産量予測システム

2 デジタル・リソース

ソフトウェアやシステム、映像等を制作したり、それを伝えるリソース。

例：メタバースによるコミュニケーションシステム

例：デジタルコンテンツ提供サービス

例：ビックデータ処理システムサービス

例：AI を活用した支援システムサービス・予測サービス（需給予測、販売予測等）

3 モビリティ・リソース

物・人の移動の支援、情報の伝達などをするリソース。

例：AI 等を活用した自動運転サービス（無人タクシー・バスなど）

例：道路を利用した高効率大量輸送システム（連結トラック、隊列走行など）

例：遠隔無人配送システム（ドローン配送システム）

例：高効率配送システム・無人倉庫（完全無人物流システム）

4 ライフ・リソース

生活に関わる医療・文化、飲食などのサービスを提供するリソース。

例：遠隔医療・健診システム、遠隔手術システム（カルテ共有）

例：洋服・装飾品等のマス・カスタマイズシステム

例：ネット売買（BtoC、CtoC）による個別無人配送システム

例：バーチャル・リアルツーリズムの融合化

例：移動商業システム（軽トラ市など）

5 ヒューマン・リソース

上記の1～4のリソースの担い手並びに、それら担い手を育成するリソース。

例：ユビキタス教育システム（オンディマンド・オンライン教育、高齢者・障碍者受講システム）

例：越境教育システム（様々な大学の講義を学べるシステム）

例：AI を活用したセルフ教育システム

※

ところで今日、我が国では三つの破壊的変化注5が起こっている。第一が、太陽光発電・風力発電・蓄電池等の電力エネルギー領域、第二が、EV化等のモビリティ領域、第三が、AI・IoT等のDX領域である。特に、第一の変化では、再生エネルギーの新規開発が促進され、電気の大きな問題であった「貯める」機能として、蓄電池が急速に普及してきている。政府は、原子力発電所の長期利用を進める方向を検討しているが、再生エネルギー等による分散型発電と蓄電池整備を全国的に拡充していけば、これまで言われてきたエネルギー源としての不安定性を低下させていくことに繋がる可能性が高い。

図9は、東海エリアにおける再生エネルギーによる自給率(電力)と人口の関

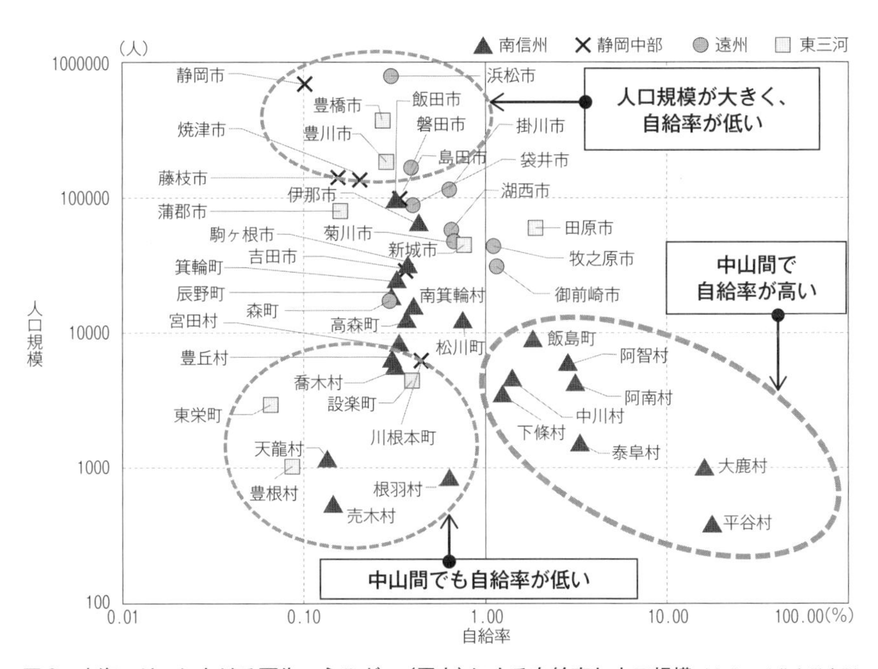

図9 東海エリアにおける再生エネルギー(電力)による自給率と人口規模(出典:千葉大学倉阪研究室+NPO法人環境エネルギー政策研究所(2022)『永続地帯2021年度版報告書』及び国勢調査を利用して作成)

注1:この図における東海エリアとは、長野県南信州、静岡県の静岡市以西(遠州、静岡中部)、愛知県東三河を指す。
注2:自給率(対数表示)[%]=再生可能エネルギー電力/民生(家庭・業務)・農林水産用電力需要
※分母に産業・運輸部門は含んでいない
注3:再生エネルギー(電力)は、太陽光発電、風力発電、地熱発電、小水力発電、バイオマス発電等を対象。
注4:電力需要は、都道府県別エネルギー消費統計等を利用して算出。
注5:人口規模(対数表示)は2020年国勢調査

係を示した。自給率が低い地域としては、人口規模が大きい都市、中山間でも山が険しく再生エネルギー開発が進めにくい地域等がみられる。昨今、ウクライナ情勢や円安基調により、エネルギー価格が高騰している一方で、今後成長が見込まれる「モビリティサービス領域」「DX サービス領域」では、さらなる電力消費が予測され、それに関わる「ICT サービス領域」も同様である。このため、スマート産業の持続的な発展を広域的に進めていくことはもちろんのこと、それにあわせて、再生エネルギーの広域的な連携も同時に推進していくことが重要となる。

3 新東海地域におけるスマートリージョンの形成の意義・方向性

長野県、静岡県、愛知県にわたる新東海地域は、都市域・中山間域を含み、海あり・山あり・大河あり・湖ありの多様性に富んだ自然環境が広がり、我が国の中心的な自動車産業が集積している反面、人口減少社会に直面している日本の縮図的な地域である。

また、これまで経済成長の国土軸を形成し、ものづくりを中心とした産業集積が高い愛知県東三河、静岡県遠州、静岡県中部と、リニア中央新幹線の整備に伴う新駅（新長野県駅）が設置される長野県南信州から構成されている。太平洋側の圏域には、東海道新幹線、東名高速道路、新東名高速道路が、内陸側の圏域には、中央自動車道や整備中のリニア中央新幹線が存在する。同時に、我が国が進める「日本中央回廊」の東京と名古屋の中間地帯に属し、リニア中央新幹線による影響と効果の双方を受け、その改善策等を講じられる広大な実験的な役割を併せ持つ地域であると言え、国土形成計画[注6]上も重要な地域である。

[1] 新東海地域とは

東海道エリアの静岡県から愛知県に至る主要地域は、静岡県の沼津市・三島市・富士市を中心とした東部、静岡市を中心とした中部、浜松市を中心した西部に分けられ、愛知県では名古屋市を中心とした尾張、豊田市・岡崎市を中心とした西三河、豊橋市を中心とした東三河に分けられる。

このうち、静岡県西部(遠州)と愛知県東三河は、経済的な繋がりが強く、長野県の飯田市を中心とした南信州とは「三遠南信地域」として、30年以上に亘って、地域づくりを進めてきた経緯がある。また、温暖な気候条件に加え、昭和から平成にかけて、リーディング産業として成長した自動車産業の一大集積地を形成し、世界貿易や、イノベーションの中心的な役割を果たしてきた。さらに、環境制御による施設園芸などは国内最先端技術が導入されるなど、日本をリードする産業集積が形成されている。しかしながら、三遠南信地域の経済活動では、三遠地域間と、三南信地域間・遠南信地域間を比較すれば、明らかに前者の関係が強く、三遠地域と南信州地域との間の取引関係は大きくはない。この理由として、南信州とは三遠南信自動車道が完成していないことや、その中間地域が山間地で人口や産業集積が著しく低いことが要因である。このため、南信州地域企業の重点取引地域は、尾張・西三河、関東方面を三遠地域以上に重視する傾向が強い(図10)。さらに10年以内の開業が計画されているリニア中央新幹線のリニア駅(飯田市に長野県駅)がもたらすダイナミックな変化によって、ものの動きのみならず、観光などに関わる人の新しい動きが生ずる可能

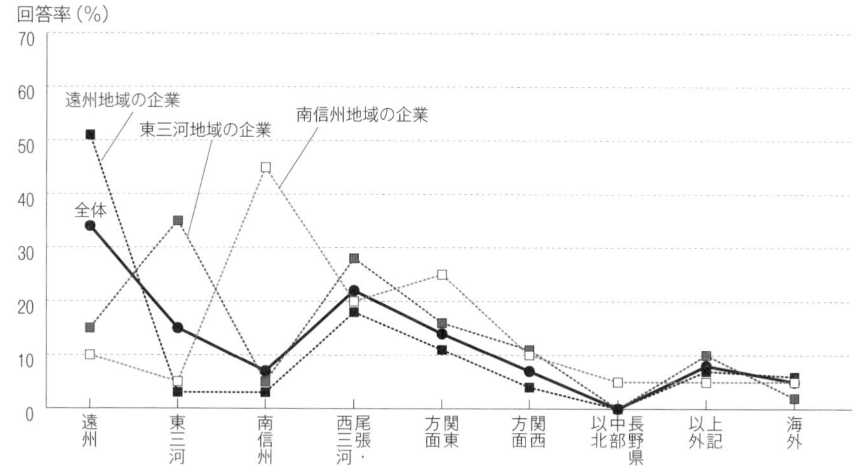

図10　三遠南信地域企業における重点取引地域(製造業・非製造業計)(出典:愛知大学三遠南信地域連携研究センター越境地域研究資料「三遠南信地域の県境を越えた取引構造と高速交通網整備の効果に関する研究」公益社団法人東三河地域研究センター等)

注1:豊橋・豊川・新城・蒲郡・田原・設楽・豊根・東栄、浜松・湖西・磐田・袋井、飯田市の製造・非製造業の従業員が一定規模以上の企業(帝国データバンク)のアンケート調査(2014年10月実施)。
注2:最も重要と回答した地域のみ集計
注3:全体には住所不明分を含む。

性があり、三遠以外の地域との経済的な結びつきが強まっていくことが予想される。

静岡県中部と静岡県西部（遠州）は、産業構造が異なることから経済的な繋がりは余りみられないが、静岡県内の二つの政令指定都市を含んだ地域である。特に、静岡県中部は、県庁所在地である静岡市を含み、静岡県の行政の中心のみならず、清水港を中心とした商流の窓口として位置づけられている。最近では、中部横断自動車道の整備効果もあり、山梨県との繋がりが強くなるなど、内陸側との広域的な経済活動を高めていこうとする動きが活発化している。この二つの地域は、2027年開業予定のリニア中央新幹線によって、我が国の産業経済の中心的な地域としての位置づけが相対的に低下することが予想されている点で共通の課題を内包していると言える。リニア中央新幹線の創業以降、地域経済をより活発化するためには、東海道新幹線を一層活用していくことが、

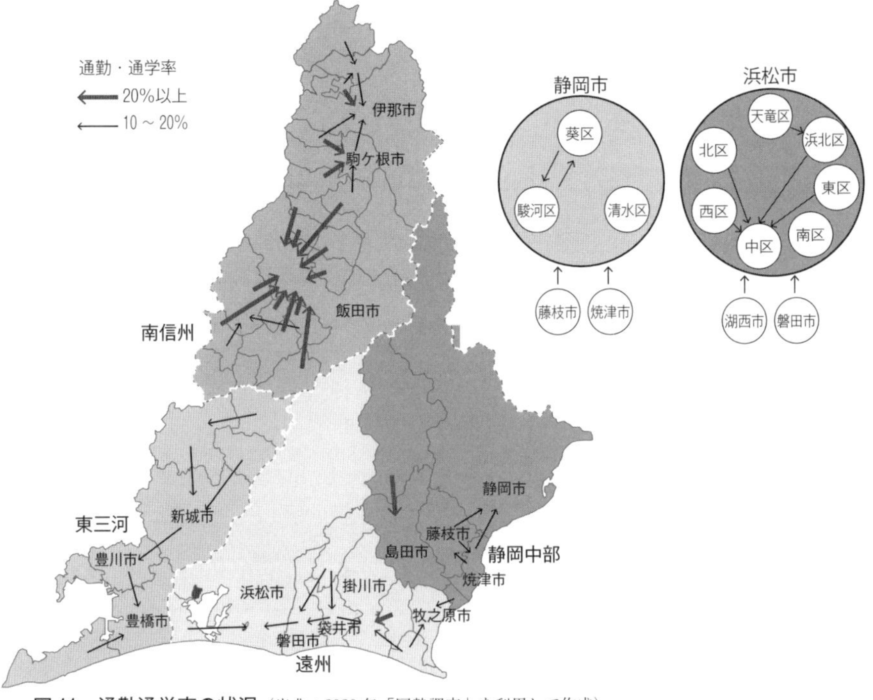

図11　通勤通学率の状況（出典：2020年「国勢調査」を利用して作成）

注1：新東海地域への通勤・通学率10%以上の市町村、新東海地域から圏域外への通勤・通学率10%以上の市町村はない。

注2：牧之原市は三遠南信地域連携ビジョン推進会議に参画しているため、遠州地域に含めている。

静岡駅、掛川駅、浜松駅を中心としたエリアの共通の課題とも言え、それは愛知県東三河の豊橋駅も同様である。

一方、通勤・通学圏を見ると、長野県南信州、愛知県東三河、静岡県遠州、静岡県中部は、飯田市、豊橋市、浜松市、静岡市の拠点都市に集まる構造を有しており、それぞれが概ね独立した経済圏を形成している（図11）。静岡県東部は、熱海市の神奈川県への通勤・通学率が10％を超え（2020年国勢調査）、長泉町、清水町では通学について、貸与形態であるが、新幹線利用の補助制度がある等、実質的に東京圏への通勤圏に組み込まれていると言っても過言ではない。愛知県西三河は、自動車産業からみた場合、東三河との結びつきがみられる反面、自治体連携等では、その結びつきは極めて低く、通勤・通学圏でも名古屋を含めた尾張との結びつきが非常に強い。

以上のような状況から、静岡県の中部（以下、静岡中部と称す）、西部（以下、遠州と称す）、愛知県の東三河（以下、東三河と称す）、長野県の南信州（以下、

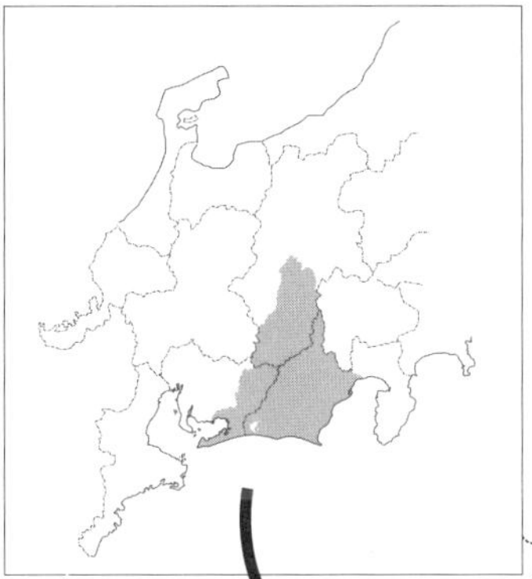

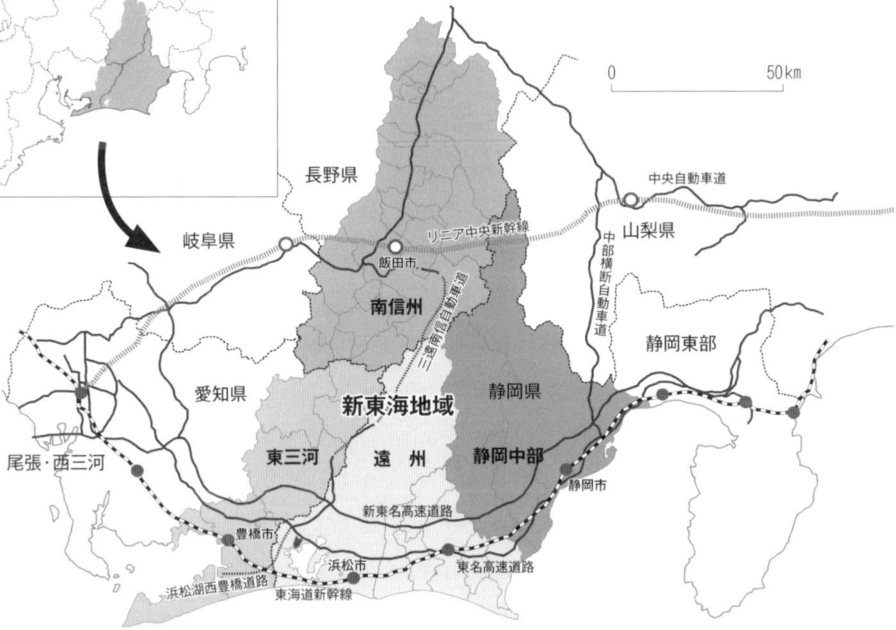

図12　新東海地域の圏域

注：牧之原市は三遠南信地域連携ビジョン推進会議に参画しているため、遠州地域に含めている。

南信州と称す）は、自治体・経済界連携、経済的な結びつき、リニア中央新幹線の創業以降の東海新幹線の利活用の課題等の面から、一体的な圏域としてとらえることが、地域づくりを進めていく上で重要であることから、この圏域を「新東海地域」（図12）と呼ぶこととした。

[2] 新東海地域におけるスマートリージョンの形成の意義

1 多様性に富んだ地域

新東海地域は、静岡・浜松・豊橋・飯田などの拠点都市群に加え、静岡・愛

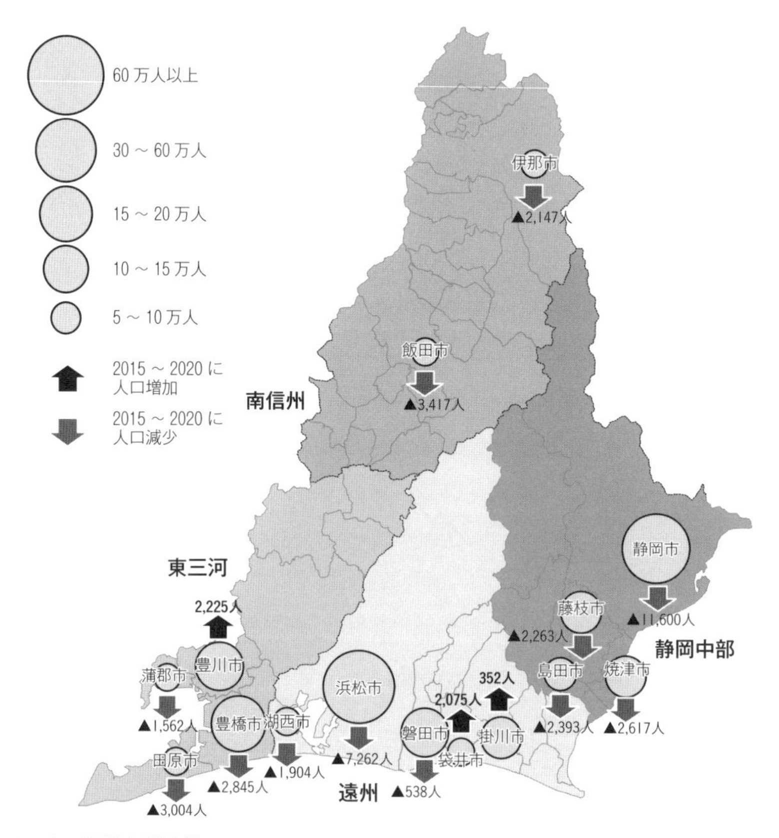

図13　人口規模と増減状況（出典：2020年「国勢調査」を利用して作成）

注1：人口5万以上の市を対象としている。
注2：新東海地域において、人口5万人未満で2015～2020年に人口増加している市町村は、菊川市（人口約4.8万人、1,026人増）、南箕輪村（人口約1.6万人、734人増）のみである。
注3：牧之原市は三遠南信地域連携ビジョン推進会議に参画しているため、遠州地域に含めている。

知・長野の県境付近は中山間地を形成し、都市が持つ課題、山間地が持つ課題の両面の課題を内包している。自然環境では、中山間地の森林、天竜川・大井川・豊川などの大型河川、浜名湖といった湖があり、交通では、東名・新東名高速道路、鉄道では東海道新幹線に加え、飯田線、大井川鉄道など都市と中山間地を結ぶ鉄道、天竜浜名湖鉄道などのローカル鉄道があるなど多様性に富んでいる。

新東海地域の人口は約350万人（2020年国勢調査）であり、都道府県別人口と比較すると、静岡県（約366万人）に次いで第11位に相当する。経済活動では、製造業並びに農業が非常に盛んな地域であり、工業出荷額は約16.96兆円（2021年経済センサス）で、都道府県規模では愛知県、大阪府に次いで全国3位、農業産出額では約3400億円（2021年農林水産省資料）で、千葉県に次いで第7位に匹敵する規模であり、非常に大きな経済力を持っている。

2 日本の縮図的な地域

リニア中央新幹線の整備計画が発表され、それによる発展可能性が高まる中、名古屋市では都心部を中心に様々なプロジェクトが誘発され、急激な再開発が進んでいる。しかしながら、新東海地域を構成する政令指定都市である静岡市、浜松市、中核都市である豊橋市では経済成長の重要な要素である人口が減少し（図13）、全国共通の人口減少地域としての課題が高まっている。

人口減少による労働力不足が懸念される中、高齢者等の労働力の活用が期待されている。2015年の国勢調査による年代別人口に占める労働人口の割合（労働力率）をみると（図14）、15～24歳の労働力率は男女ともに同程度であるが、概ね45～54歳頃までは年齢

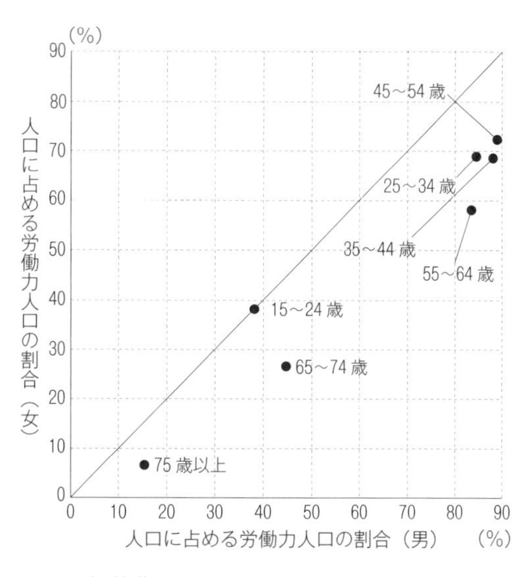

図14　年齢階層別労働力率（出典：2015年「国勢調査」より作成）

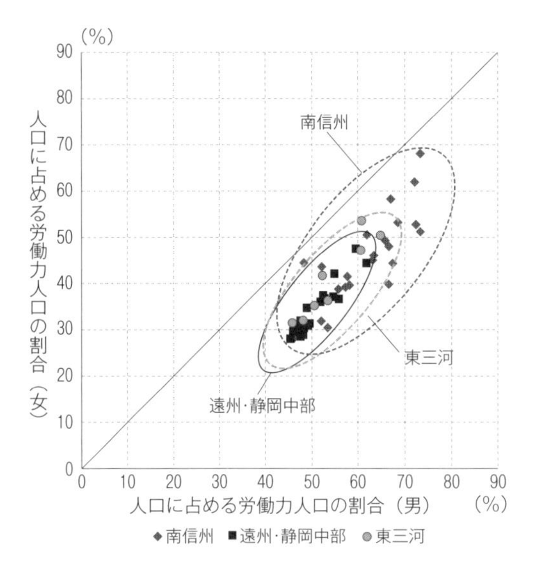

図 15　男女労働力率の関係（65 ～ 74 歳）
（出典：2015 年「国勢調査」より作成）

注：プロットは各地域の市町村

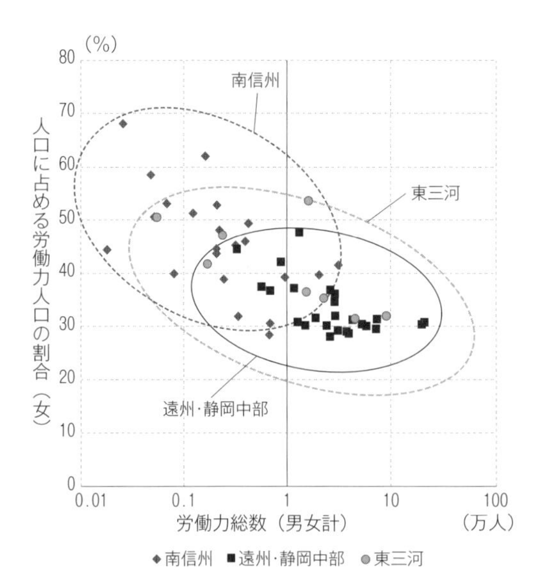

図 16　労働力総数と女性の労働力率（65 ～ 74 歳）
（出典：2015 年「国勢調査」より作成）

注：プロットは各地域の市町村

が高まるにつれて男女ともに労働力率が上昇するものの、女性の労働力率は男性に比べて低い。55～64歳では、男は80％以上、女性も50％以上であるものの、65歳を超えると急激に低下しており、高齢者とともに女性労働力の活用が期待される。

新東海地域においては65～74歳（前期高齢者）の年齢層を見ると、南信州の市町村で比較的に労働力率が高く、労働力総数と女性の労働力率の関係では、労働力総数すなわち人口の大きい地域ほど、女性の労働力率が低下している（図15、16）。つまり、前期高齢者の労働力率は、小規模市町村で高まる傾向がみられ、人口規模が小さい市町村における高齢者の働き方・その仕組み等が、これからの労働力不足対策を考える重要な示唆を与えているとも言えよう。また、高齢者の働き口として、シルバー人材センターがあるが、高齢者が増加しているにも関わらず、会員数が減少している機関が南信州、静岡中部で多く、シルバー人材センターの業務内容にも大きな課題があると言える**（表5）**。

外国人労働力では、特定技能者は約3600人（全国の約4.1％）、技能実習生は約1万4000人（同約4.3％）であり、人口（約2.8％）よりも対全国シェアが高くなっており**（表6）**、地域産業の重要な担い手になっていることが窺える。最近の円

表5　シルバー人材センターにおける会員等の活動状況

		会員数		就業した会員の割合（％）	
			増減（人）	2013年度	2019年度
南信州	飯田広域	1,054	169	100	96
	駒ヶ根伊南	644	△1	100	100
	伊那広域	556	△111	100	100
	阿南広域	345	△15	94	89
	下伊那西部	169	△24	99	89
東三河	豊橋市	1,738	283	99	96
	豊川市	1,124	318	94	88
	新城市	630	57	100	100
	蒲郡市	625	153	95	97
	田原市	303	29	95	100
	東栄町	150	△1	97	94
	設楽町	129	△18	81	75
	豊根村	67	△9	87	96
遠州	浜松市計	4,575	236	84	74
	磐田市	783	1	93	91
	牧之原市	573	17	98	97
	湖西市	472	△135	91	90
	袋井・森地域	462	△9	96	98
	菊川市	379	△20	78	67
	御前崎市	134	8	94	90
静岡中部	静岡市計	2,741	△440	79	79
	藤枝市	886	△122	85	93
	焼津市	870	△82	96	90
	島田市	830	△21	71	88
	吉田町	280	95	74	91
	川根本町	176	109	88	95

（出典：全国シルバー人材センター事業協会（http://www.zsjc.or.jp/）のホームページに掲載されている統計データをもとに分析）

表6　特定技能・技能実習生の在留状況

		特定技能	技能実習	人口
全国		8万7,472人	32万7,689人	12,615万人
	南信州	291人	1,053人	34万人
	静岡中部	985人	3,627人	110万人
	遠州	1,028人	5,309人	136万人
	東三河	1,275人	4,062人	75万人
新東海地域		3,579人	1万4,051人	354万人
	割合	4.09％	4.29％	2.81％

（出典：「国勢調査」（2020年）、「在留外国人統計」（2022年6月末現在）より作成）

注：特定技能とは、日本国内の深刻な人手不足を補う即戦力のための在留資格として新設。技能実習生は母国の送り出し機関で日本語教育や日本の企業文化などを学び日本に来日するが、特定技能は「相当程度の知識若しくは経験を必要とする技能」が必要なため技能試験や日本語試験で能力を測定し合格しないと特定技能就労ビザ（在留資格）の取得はできない。つまり、特定技能は人手不足の業界で即戦力として働けると認められた外国人のみが取得できる就労ビザ（在留資格）である。

表7　自動車産業のEVによる影響

- EV化による地域の自動車産業への影響を定量化するため、(一財)静岡経済研究所の「EVショック度」という指標を「工業統計調査」を利用して算出。
- 静岡県は、群馬県とともにEVショック度は50%を超えている。愛知県は18%と他地域と比べて低いが、失われる出荷額は2兆円以上に及ぶと推計され、全国一大きい。
- 従業者数への影響では、愛知県において失われる雇用は約4.5万人で、静岡県は3.4万人に至り、非常に大きな影響が出ることが予想される。

【自動車部品産業が大きい10県のEVショック度の状況】

		2012	2013	2014	2015	2016	2017	2018	2019
①内燃機関電装品・自動車部分品の計（単位：10億円）	全国	32,409	33,475	33,136	36,104	35,759	37,773	39,772	38,507
	愛知県	16,474	17,540	17,274		18,703	19,704	20,873	20,582
	静岡県	2,866	2,834	2,724		2,669	2,876	2,920	2,752
	岐阜県	522	490	526		606	589	636	703
	群馬県	1,613	1,763	1,746		1,904	2,029	1,990	1,750
	広島県	706	691	936		1,132	1,129	1,096	969
	埼玉県	1,123	1,008	1,174		1,105	1,145	1,267	1,149
	三重県	1,251	1,298	1,179		1,292	1,469	1,589	1,686
	神奈川県	673	649	683		727	819	787	791
	福岡県	1,350	1,214	1,216		1,138	1,147	1,240	1,043
②自動車用内燃機関部分品・取付具・附属品、駆動・伝導・操縦装置部品の計（単位：10億円）	全国	9,158	9,556	9,760	10,179	10,232	10,870	11,503	11,164
	愛知県	2,860	3,077	3,022	3,263	3,313	3,774	3,820	3,765
	静岡県	1,562	1,577	1,496	1,486	1,417	1,498	1,546	1,436
	岐阜県	168	169	185	202	209	214	225	293
	群馬県	947	1,101	1,059	1,065	1,190	989	1,032	917
	広島県	141	132	165	202	178	174	179	170
	埼玉県	291	330	387	334	439	452	525	470
	三重県	257	253	231	240	263	268	472	534
	神奈川県	230	221	248	245	247	264	286	295
	福岡県	437	410	434	461	372	399	427	386
③EVショック度（②/①）（単位：%）	全国	28.3	28.5	29.5	28.2	28.6	28.8	28.9	29.0
	愛知県	17.4	17.5	17.5		17.7	19.2	18.3	18.3
	静岡県	54.5	55.6	54.9		53.1	52.1	52.9	52.2
	岐阜県	32.3	34.6	35.3		34.4	36.3	35.4	41.7
	群馬県	58.8	62.4	60.7		62.5	48.7	51.9	52.4
	広島県	20.0	19.1	17.6		15.8	15.4	16.3	17.6
	埼玉県	25.9	32.8	33.0		39.7	39.5	41.5	40.9
	三重県	20.6	19.5	19.6		20.3	18.3	29.7	31.6
	神奈川県	34.2	34.1	36.3		34.0	32.2	36.3	37.3
	福岡県	32.4	33.8	35.7		32.7	34.8	34.4	37.0
④雇用への影響（単位：人）③×自動車部分品・附属品従業者数（表8参照）	全国	170,462	173,654	179,366	184,892	189,054	197,502	201,712	194,355
	愛知県	36,956	37,983	38,233		43,119	48,746	46,844	44,627
	静岡県	35,902	36,079	34,384		34,474	35,080	35,812	34,465
	岐阜県	5,249	5,763	6,179		6,580	7,138	7,328	8,802
	群馬県	18,620	20,281	20,144		22,334	18,084	18,572	17,639
	広島県	5,021	4,938	4,448		4,479	4,357	4,669	5,020
	埼玉県	8,005	10,127	10,295		12,492	13,335	13,707	12,697
	三重県	4,811	4,624	4,762		5,153	4,698	7,850	8,257
	神奈川県	6,186	6,162	6,451		6,449	6,238	6,981	7,041
	福岡県	8,956	8,718	9,525		9,395	9,462	9,952	9,452

（出典：経済産業省「工業統計表」より作成）

注：①＝2922内燃機関電装品出荷額＋3113自動車部分品・附属品出荷額
　　②＝311314自動車用内燃機関の部分品・取付具・附属品出荷額＋311315駆動・伝導・操縦装置部品出荷額
　　（数値は工業統計表品目分類）

表8　自動車産業のEV化により雇用対策が必要な規模

- EVへの対応では「EV化部品等への転換」「自動車部品以外への転換」等が考えられるが、こうした対応は中小企業では非常に難しいと言われており、抜本的な雇用対策を設けていくことが必要である。
- 2019年の自動車部分品・附属品製造業における従業者数は約67万人であり、4～299人の事業所（中小企業）の従業者数は約27万人であるため、同程度の中小企業が全国一様に分布していたと仮定した場合、EV化に向けた雇用対策が必要な雇用者数は愛知県で1.8万人、静岡県では1.4万人になる。

		全国	愛知県	静岡県
従業者数合計		67万0,405	24万3,962	6万6,071
	4～299人の事業所	27万0,243	9万8,342	2万6,633
	300人以上の事業書	40万0,162	14万5,620	3万9,438
EVショック度		29.0	18.3	52.2
雇用対策が必要な規模（人）		7万8,345	1万7,989	1万3,893

（出典：経済産業省「2019年工業統計表」より作成）

注：雇用対策が必要な規模＝「4～299人の従業者数」×「EVショック度」

安傾向を踏まえると、今後は技能実習生の確保がより厳しくなることが予想され、単純労働力ではなく、より専門性の高い特定技能者の活用を重視した施策への転換を進めていくことが必要であろう[注7]。

これまで地域経済を牽引してきた自動車産業は、多層の下請け構造を持つヒエラルキーを形成し、我が国全体からみても重要産業として位置づけられてきた。しかしながら、世界的に予想以上に拡大するEV市場は、中国EVメーカーが我が国国内市場に参入（BYD）したり、これまで電子機器分野で進展していた製造受託サービス（EMS：エレクトロニクス・マニュファクチャリング・サービス）がEV分野に進出（台湾の鴻海精密工業）してくるなど、新たな局面を迎えており、その影響は特に静岡県で大きな影響が出ると推測される（**表7、8**）。このため、浜松市では「次世代自動車センター」を立ち上げ、CASE[注8]への対応を図るべく支援体制を強化するなど、ものづくりの構造転換への対応が推進されている。これは、新東海地域に限ったことではなく、程度の差こそあれ、自動車産業が集積する東北、九州北部などの企業城下町でも共通の課題であると言える。

3 既存インフラの有効活用を促す地域

新東海地域の共通課題の一つには、リニア中央新幹線による影響・効果が挙げられ、長野県南信州を除き、リニア中央新幹線整備に伴う直接の恩恵を受けることは難しく、環境変化への影響を克服し、効果を高めることが課題である。

新東海地域には、既存の産業集積が大きい太平洋側の都市地域、既存集積が著しく低い中山間地、そしてリニア中央新幹線の整備によって新しく生まれ変わる可能性のある内陸側の三つの圏域が含まれている。それらは三遠南信自動車道、中部横断自動車道という二つの縦軸方向の繋がりによって連携が強化され、産業経済圏の一層の広域化が進むと見られる。さらに、東海地震を始めとする巨大災害のダメージを軽減する上で大きな役割を発揮することが期待されており、防災という新しい機能を持った地域づくりにも繋がる。

このように新東海地域を対象に、新しい地域づくりとしてのスマートリージョンの形成を検討することは、国内他地域において、新しいツールとしてのICTによる地域課題を解決する糸口になることが考えられる。

［3］広域的な視点による新東海地域の位置づけ

1 国土形成計画に裏づけされた新東海地域

2023年7月に閣議決定された国土形成計画（全国計画）では、東京圏、大阪圏、名古屋圏の三大都市圏がリニア中央新幹線の段階的開業よって、やがて約1時間で結ばれ、新東名高速道路や新名神高速道路等の高規格道路の整備も相まって、一つの都市圏ともなる時間距離の短縮が図られるとの認識を示している[注9]。こうした認識に基づけば、新東海地域は、新たな高速交通体系の整備によってより緊密さが増す三大都市圏の結びつき（日本中央回廊）を最も生かせる地理上、交通体系上の位置を占めることになる。また、時間短縮効果に加えて、デジタル技術の普及によって、大都市と地方の魅力を兼備した地域としてテレワークを活用した転職なき移住や二地域居住等の多様な働き方が選択可能となるとしている[注10]。

特に、東海道新幹線沿線地域については、リニア中央新幹線の開業によって、現行の「のぞみ」のサービスが段階的にそちらへシフトすることで、在来新幹線の利便性が高まって、働き方や暮らし方の可能性が広がり、企業立地や観光交流の拡大などの効果も生ずるとしている[注11]。つまり、本研究会で検討してきた新東海地域の新たな可能性が全国計画においても裏づけられているといえよう。

2 実験場的な役割

国土形成計画では、地域整備の方向として、日常的な生活レベルでは小さな拠点を核とした集落生活圏の形成、都市コミュニティの再生を通じて生活に身近な地域コミュニティを再生するとともに、地方の中心都市を核とした市町村界にとらわれない新たな発想からの地域生活圏の形成をめざしているとしている[注12]。それには、デジタルとリアルが融合し、主体・事業・地域の境界を越えた連携・協働の仕組みによる官民パートナーシップ等の構築が求められている[注13]。デジタル化の実証事業は、全国各地で、官民パートナーシップ形態で進展しているが、必ずしも境界を越えた仕組みになっていないという実態がある。

新東海地域を構成する東三河、遠州、南信州には、法的組織ではないが、長年にわたって官民による連携活動が行われ、情報交換し、意見交換等を行える場がある[注14]。それは、境界を越えた官民パートナーシップの構築に向けた事業展開の契機となるソフトインフラと言える。このため、こうした既存組織を活かしながら、中山間部を含めた地域生活圏づくりの実験場的な役割を持つ地域として、国土形成計画上も重要な地域となる可能性がある。

[4] 新東海地域におけるスマートリージョンの形成の方向性

前節で述べたように新東海地域は、東西方向として、太平洋側に東名・新東名高速道路、東海道新幹線が、内陸側に中央自動車道と今後リニア中央新幹線の二つの国土幹線軸があり、さらに南北方向として、三遠南信自動車道と中部横断自動車道の二つの幹線道路網がこれらを結んでいる。

新東海地域のスマートリージョンは、こうした従来の骨格的なインフラを基本としながら、新たな南北方向の高規格道路網により、東西方向における産業・文化・生活活動に加え、南北方向の新たな産業・文化・生活活動を付け加えながら、デジタル化の活用とも相まって、面的な広がりと繋がりをもった圏域の形成をめざすものである（図17）。

新東海地域におけるスマートリージョンの形成では、ICT 等の新技術を活用し、ウェルビーイングの視点から社会課題解決や新たな価値創出による持続可能な都市や地域を形成する。あわせて、グローバル競争、人口減少社会の下、新たなスマート産業の創出を促し、地域の多様なシステムを円滑に結びつけられる広域地域（リージョン）単位での戦略的連携を進める。

また以下の1～5に示すように、東西軸によるリニア中央新幹線・東海道新幹線、東名・新東名高速道路のダブルネットワークを活かした広域連携（12）

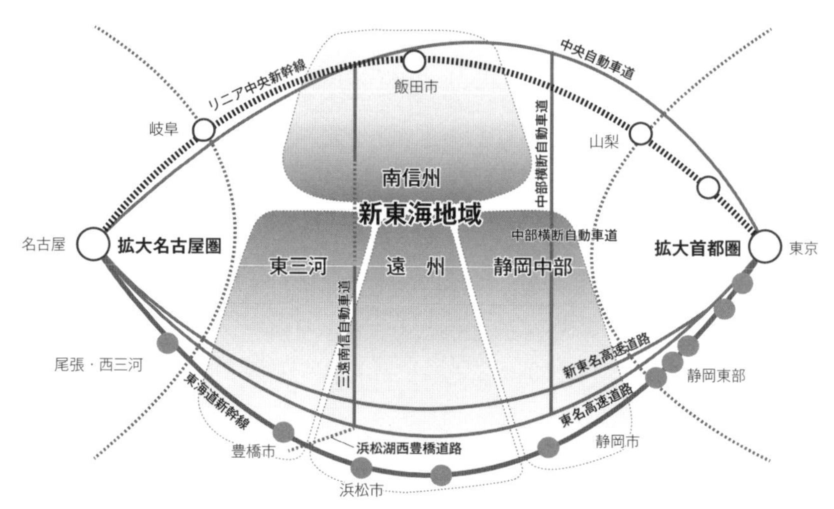

図 17　新東海地域の位置づけ

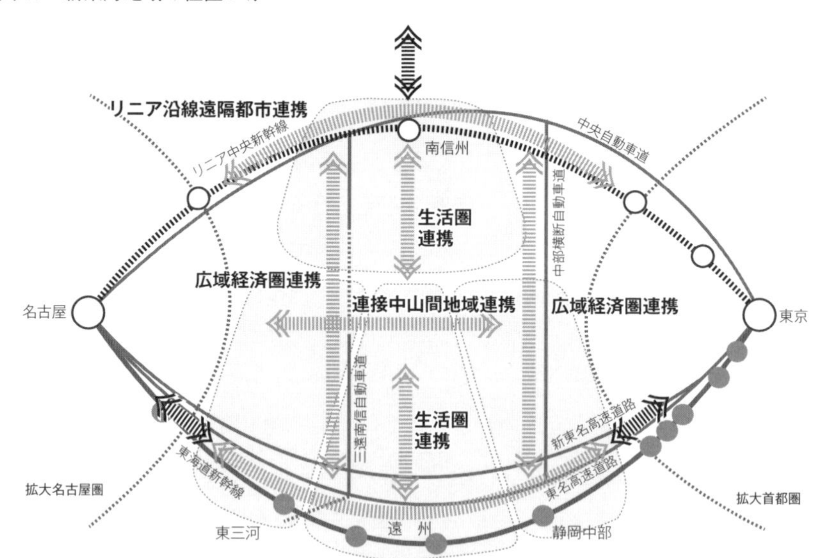

図 18　新東海地域におけるスマートリージョンの形成（イメージ図）

をベースに、南北軸の高速道路ネットワーク（三遠南信自動車道・中部横断自動車道）との連結性を強化する（③）ことによって、広域的な地域間の交流や経済的なつながりを増大させ、利便性の向上と圏域の一体性を維持・形成するとともに、東海・東南海地震等の巨大災害リスクに対する人流・物流のリダンダンシーを確保し、日本中央回廊における地域連携効果を存分に発揮させるモデルの一つとして位置づける。

あわせて、新東海地域内において、連接中山間地域連携（④）、生活圏連携（⑤）を推進することにより、暮らしやすい地域生活圏を構築する（図18）。

表9には、広域連携に関係する具体的な関係組織等を掲げた。また、**表10**には広域連携に関係する実際のプロジェクトの動きの例を示した。

① 東海道沿線連坦都市連携

東三河、遠州、静岡中部の東海道新幹線、東名・新東名高速道路が通り、連坦した都市が繋がる都市連携である。概ね人口10万人規模以上の11都市が存在（蒲郡市（8万）～豊川市（18万）～豊橋市（37万）～浜松市（79万）～磐田市（17万）～袋井市（9万）～掛川市（11万）～島田市（10万）～焼津市（14万）～藤枝市（14万）～静岡市（69

表9　新東海地域における連携組織

	連携主体
①東海道沿線連坦都市連携	三遠南信地域連携ビジョン推進会議（SENA）
	三遠南信しんきんサミット（8信金）
	しずおか中部連携中枢都市圏ビジョン（静岡市、島田市、焼津市、藤枝市、牧之原市、吉田町、川根本町）
②リニア沿線遠隔都市連携	リニア沿線信用金庫連携
	リニア駅設置自治体連携協議会
③広域経済圏連携	三遠南信地域連携ビジョン推進会議（SENA）（再掲）
	三遠南信しんきんサミット（8信金）（再掲）
	しんきん中部横断道コネクト
	ROUTE 日本海 - 太平洋パートナーシップ協定
④連接中山間地域連携	県境域開発協議会（愛知県・長野県）
⑤生活圏連携	南信州定住自立圏構想
	伊那地域定住自立圏構想
	湖西定住自立圏構想
	三遠南信地域連携ビジョン推進会議（SENA）（再掲）
	しずおか中部連携中枢都市圏ビジョン（再掲）

（出典：各種資料を利用して作成）

表10　新東海地域における広域連携別の関係プロジェクトの例

リソース	広域連携タイプ
ファシリティ・リソース	【東海道沿線連坦都市連携】 ・清水港 クルーズ船の寄港促進（静岡中部） ・田原市 温泉資源の活用（東三河） ・あいち農業イノベーションプロジェクト（東三河等） ・豊川市・新城市 東三河ドローンリバー構想推進協議会（東三河） ・陸上養殖事業　渥美プレミアムサーモン（東三河） 【広域経済圏連携】 ・産地・港湾連携型農林水産物・食品輸出促進事業（静岡中部） 【生活圏連携】 ・川根本町 サテライトオフィス誘致事業（静岡中部） ・豊川市・新城市 東三河ドローンリバー構想推進協議会（東三河）（再掲） ・陸上養殖事業 チョウザメ養殖・植物工場によるワサビ栽培等（遠州）
デジタル・リソース	【東海道沿線連坦都市連携】 ・VIRTUAL SHIZUOKA（静岡県） ・Hamamatsu ORI-Project（遠州） ・豊橋市 災害情報をドローンで収集（東三河） ・公共交通の利便性向上（バスどこ、バスNavi）（遠州・東三河） ・湖西市 官民連携型公共交通システム 【生活圏連携】 ・花火のドローン空撮（遠州） ・飯田下伊那診療情報連携システム（南信州）
モビリティ・リソース	【東海道沿線連坦都市連携】 ・静岡型MaaS基幹事業実証プロジェクト（静岡中部） ・次世代自動車センター浜松事業（遠州） ・しずおか自動運転ShowCASEプロジェクト 【広域経済圏連携】 ・産地・港湾連携型農林水産物・食品輸出促進事業（静岡中部） ・さかなバス事業（遠州） 【連接中山間地域連携】【生活圏連携】 ・公共交通のない地域での定時・定路線車両運行事業（遠州） ・ぐるっとタクシー（南信州） ・やさいバス（遠州） ・ゆうあいマーケット（南信州）
ライフ・リソース	【東海道沿線連坦都市連携】 ・静岡型災害時総合情報サイト（静岡県） ・農山漁村地域防災・減災プロジェクト（愛知県） ・耐水害住宅（遠州） 【広域経済圏連携】 ・三遠南信災害時相互応援協定（東三河・遠州・南信州） 【連接中山間地域連携】【生活圏連携】 ・モバイルクリニック（南信州） ・図書館ネットワークシステム（南信州） ・春野医療MaaSプロジェクト（遠州）
ヒューマン・リソース	【東海道沿線連坦都市連携】【生活圏連携】 ・TECH BEAT Shizuoka（静岡県） ・Challenge GATE（遠州） ・東三河ビジネスコンテスト（東三河）

（出典：各種資料より作成）

万))[注15]し、それらが連担して、ものづくりを中心した産業集積、温暖な気候や高度施設園芸による農業集積を形成している。こうした既存のものづくり、農業等の産業集積、さらに中心市街地等を活かすためのスマートリージョン化を進めるべきであろう。

2 リニア沿線遠隔都市連携

リニア中央新幹線で結ばれる、リニア駅のある都市を繋げ、新しい経済圏の形成を進めるための連携である。リニア駅が設置される、甲府市（約19万人）、飯田市（約10万人）、中津川市（約8万人）[注16]の間は、山間地で人口・産業が低密度なエリアであるが、リニアによって確実にリニア駅都市間が繋がることとなる。リニア中央新幹線で結ばれた3都市（甲府市、飯田市、中津川市）では、リモートワークでの移住・二地域居住等の多様な暮らし方・働き方を実現するスマートリージョンの形成が期待される。

3 広域経済圏連携

太平洋側のエリアと内陸のエリアを繋ぎ、新しい経済圏の形成を進めるための連携であり、具体的には三遠南信自動車道、中部横断自動車道を活用することとなる。現在、中部横断自動車道に関しては、現道を活かしながらも太平洋側と内陸側が繋がったため、清水港を利用した海外輸出プロジェクトが進むなど、新しい経済圏づくりが進んでいる。一方、三遠南信自動車道は、青崩トンネルなどが整備中であり、今後、太平洋側と内陸側による新しい経済圏への期待が高まっている。

こうした新しい経済圏づくりによって、人・もの・情報の動きが活発になり観光圏、物流圏の形成と連動したスマートリージョン化を図るべきであろう。

また、東三河、遠州、静岡中部の都市地域は、今後発生が予測されている東海地震によって最も大きな災害を受けることが予想される地域である。このため、その影響を最小限にし、その復興を最大限にするため、防災と災害からの復興を促すためのスマートリージョン化が重要となる。

4 連接中山間地域連携

東三河、遠州、静岡中部及び南信州に含まれる南アルプスなどの中山間地域の連携である。特に、東三河、遠州、南信州の中山間地は、官民連携組織である三遠南信地域連携ビジョン推進会議（SENA）の活動効果などもあり、様々な交流が行われている。しかしながら、限界集落も多数みられるため、生活や交通面での利便性向上が喫緊の課題である。ここでは、こうした既存の交流や利便性向上に資するスマートリージョン化に取り組むべきであろう。

5 生活圏連携

東三河、遠州、静岡中部及び南信州に含まれる中山間地と都市地域による連携である。中山間地域が内包する課題は、中山間地域だけで解決することが難しい問題が山積みである。一方で、都市地域にはストレスの大きな生活に疲れて、精神的な安らぎを求める人々もいるため、こうした心のケアの場としても中山間地は有用な地域であると言える。そこで、都市地域の生活圏の課題、中山間地の生活圏の課題を、それぞれが連携してWIN-WINの関係づくりを促すスマートリージョン化も重要である。

新東海地域におけるDX推進と都市連携

新東海地域の今後の展望については、1章でも総括的に取り上げ、次章以下特別寄稿に至るまで、さまざま角度から具体的に述べていく。ここでは、本書のテーマであるDX化をいかにこの地域で進めていくのか、さらにこの地域に存在する10万人規模以上の11都市が連携していくことの重要性について以下のような提案を行いたい。

[1] 地域資源の広域的共有化と利活用の仕組み（プラットフォーム型の広域連携）

地域問題が多様化し、画一的な課題対応では不十分になってきている今日、その解決策としてのデジタル化を活用したプロジェクトの重要性が益々拡大してきており、自治体と民間企業が相互連携を図りながらデジタル化を進める機会が増加している。そうした官民連携事業等は、人口や産業集積規模の大きい都市ばかりではなく、新東海地域の小都市でも官民の連携によってDXを利用した多様なサービスの実証事業化[注17]が進んでいるように、必ずしも地域の産業・人口集積に依拠しておらず、デジタル化に対する市町村長等地域のリーダーの意識に影響しているところも大きい。一方で、今後、全国的にDX関連の取り組みが急速に進展した場合、地域の人材や知識不足、5G基地局や中小企業のIT装備率などの地域個々のDX化に関わる地域資源の差等によって新たな地域格差を生じさせる恐れが高まっている。このため、新たな地域格差を生まないよう、技術・ノウハウとともにそれに関わる人材を広域的に利活用できる仕組みを検討していくことが重要である。

そのためには、実証事業段階からシステムの互換性、拡張性などに配慮し、他者が新たなシステムを構築する場合、既存システムとの互換性を確保できるような技術・ノウハウを公開し、ネットワーク化などが容易に行えるような環境整備の構築が必要である。

新東海地域は、長野県、静岡県、愛知県に跨る地域であり、静岡市、浜松市の政令指定都市、並びにそれ以外の基礎自治体（市町村）は、様々なプロジェクトを進めていく上で、各県との調整等が必要であった。また、隣り合う市町村の連携では、一般的には人口規模が大きい自治体がリーダーシップを発揮しながら連携環境づくりが進められてきた。今後は、DXプロジェクトによって開発されたノウハウ、システムなどを、広域的な地域の共有資源として位置づけ、地域の共有利益をめざしたプロジェクトに利活用できる仕組みを地域のDX共有のプラットフォームして構築していくことが重要である。あわせて、地方自治体は、プロジェクトによる民間企業との共同成果を共有プラットフォームへ格納する（地域共有資源化）ように促し、連携地域の実証事業等で容易に利用できるよう、その仲介役としての役割を果たしていくことが必要である。この地域共有資源化が、DXプロジェクトの広域的な展開を加速させる大きなエンジンになると考えられる。

なお、プロジェクトに参画する企業等は、必ずしも新東海地域内に限定する必要はない。既に、国内他地域、海外などとも容易にアクセスできる環境が整備されているから遠隔からの参画に伴う障害はほとんどないだろう。多様な企業等の参画は、共同化によって地域企業の技術・ノウハウの向上に寄与し、大きな魅力（ビジネスチャンスの拡大）にも繋がる。これが、DX時代における広域連携の大きなメリットとなる。

[2] 広域的な人材資源の共有化と育成

新東海地域は、ものづくり（製造業）や農業などが非常に盛んであるが、DXを担うようなソフトウェア人材の集積は決して大きくはない。一方、多様な分野で急速に利活用が進むAI領域では、それを担う人材育成・確保は喫緊の課題である。生産労働人口の地域偏在傾向が進む中、DX関連人材の地域間での奪い合いが激化する恐れがある。このため、こうした人材を地域の共有資源として位置づけ、広域的に活躍してもらう仕組みを整備していくことが必要である。例えば、山形県では、県内の企業・教育機関・自治体が連携して"One山形"で取り組む、AIプログラミング教育を通じた『デジタル人材育成プロジェクト』（やまがたAI部）を進めている[注18]。対象は高校生であり、多数の高校と生徒が参加し、広域でデジタル人材を育成していこうとする試みは参考となる取り組みである。

新東海地域においても、地域のものづくりや農業等をより高次化・高度化し、新たなDX関連産業の創出を促していくためには、そのための人材育成・確保は必要不可欠である。このため、特に若年層を対象とした人材育成の仕組みを広域的な産学官連携（基礎自治体、地域経済界、地域の大学・高校）によって構築していくとともに、既存の従業員に対しても、新たな事業開拓を促すための基礎的技術・ノウハウとしてAI等のデジタル技術が重要であることを認識し、高齢者を含めたリスキリングを行うための場と仕組みづくりを進めていくことが必要であろう。

[3] 域外人材を活かした地域経営の実践化

地域の将来を担う（担える）人材が減少する中、円滑な地域経営を実現していくためには、多様化する地域課題に取り組むために、より効率性を重視することと、一層地域（地区）に寄り添った対応が求められていると言える。特に、後者では、多くの方々の支援・協力、関与を増やしていくことが重要になる。

こうした中、2016年頃から「関係人口」[注19]が注目されるようになってきており、地域と何らかの関わりを持つ人づくりが進んでいる。また、まちの出身者、ふるさと納税をした人、住民登録していない一時的な居住者等を仮想的な住民と定義して、地域づくりのパブリックコメントに応募できる「ふるさと住民票」といった仕組みを導入している自治体もある注20。海外に目を向けると、エストニアでは居住権を持たない外国人に対してエストニアの公的プラットフォームを利用できるサービスを実施している注21。このように地域に居住していなくても、地域に関わっていく仕組み等が考えられてきており、オンラインシステム等の活用により、非居住住民もリアルタイムで参画することが可能になっている。

一方、域外人材が地域で活躍できる仕組みも重要である。例えば、2020年に施行された「地域人口の急減に対処するための特定地域づくり事業の推進に関する法律」(通称：特定地域づくり事業協同組合制度)では、地域の仕事を組み合わせて年間を通じた仕事を創出し、組合で職員を雇用し、事業者に派遣する制度が設けられた。2023年6月末現在、新東海地域では、愛知県設楽町の「したらワークス協同組合」が認定され、農業機関、酒造会社、製材工場などで人材募集しており、域外のデジタル人材を中山間地域で活躍してもらう制度としても有効であろう。

新東海地域では、ふるさと住民票の考え方や、特定地域づくり事業協同組合制度等を活用し、中山間地を活性化させる人材や地域経営に参画できる仕組みを検討し、都市に賦存するデジタル人材を中山間地に派遣できるような制度を導入していくことが重要であろう。

[4] 戦略的な都市連携プロジェクト (11シティズ・パートナーシップ等)

現在、新東海地域では、全地域が参加した連携づくりが進んでいる訳ではない。広域的な連携体制づくりの一つとして、既存プロジェクトを中心に、地域共有資源づくりを進め、それを統合したプラットフォームとして、地域の中心的な自治体(豊橋市、浜松市、飯田市、静岡市等)の連携を図ることが重要である注22。また、デジタルプロジェクトによる地域共有資源づくりでは、技術・ノウハウを持つ企業を組織する経済団体(商工会議所等)や、技術系大学等を中心に進め、自治体は、デジタルプロジェクトの実証事業などの地域展開の場を提供する役割を担うとともに、アジャイル開発注23方式の導入などを進めながら、スピードある実装化をめざしていくことが求められる。

さらに、戦略的な連坦都市の連携を強めていくことである。新東海地域の太平洋側には、概ね人口10万人規模以上の11市（蒲郡市（8万）、豊川市（18万）、豊橋市（37万）、浜松市（79万）、磐田市（17万）、袋井市（9万）、掛川市（11万）、島田市（10万）、焼津市（14万）、藤枝市（14万）、静岡市（69万））が軸状に11連坦している。こうした多数の都市連坦は大都市圏を除くと殆どみられない[注24]。各都市の力を結集するための連携組織づくり（仮称：11シティズ・パートナーシップ）を推進するために、デジタル活用プロジェクトのためのプラットフォームづくりを進めることが重要である。特に、リニア中央新幹線整備以降の東海道新幹線利活用（豊橋市、浜松市、掛川市、静岡市）の視点は喫緊の課題である。新幹線駅設置都市連携の推進は、リニア沿線遠隔都市連携にも相通じるものがあり、両地域連携間の相互交流が期待されるところである。

こうした多様な広域連携を契機として、より一層デジタルプロジェクトを推進していくことが、新東海地域におけるスマートリージョンの形成を着実に進めることに結びつくと言えよう。

注

1　DXとは、企業がビジネス環境の激しい変化に対応し、データとデジタル技術を活用して、顧客や社会のニーズを基に、製品やサービス、ビジネスモデルを変革するとともに、業務そのものや、組織、プロセス、企業文化･風土を変革し、競争上の優位性を確立すること。経済産業省（2019）「DX推進指標とそのガイダンス」。

2　米国のOpen AI社によって開発された対話形式でAIが応答するチャットサービスである。GPTとは「Generative Pre-trained Transformer」の略で、Web上の大量のデータをもとに学習する文章生成言語モデルを指す。英語のみならず日本語サービスもある。急速に利用が進んでいる反面、機密情報の漏洩などに繋がる可能性を危惧して利用を制限する動きも出てきている。

3　5Gは高速大容量、高信頼・低遅延、多数同時接続の特徴を有し、そのユースケースとしては、4K・8Kのライブ配信、没入感の高いVR/AR体験、スポーツ観戦の多角化、遠隔手術、自動運転などが挙げられている。「令和4年度 情報通信白書」（24頁）

4　静岡県浜松市の遠州鉄道㈱は、2004年に全国に先駆けて鉄道・バス共通で使える非接触型ICカード「ナイスパス」を実用化したが、他社との互換性や電子マネー機能がないため、利用が制限されていた。こうした中、2024年春よりクレジットカード等によるタッチ決済の乗車システムの導入を発表した（2023年9月19日の同社ホームページ）。

5　本研究会におけるNPO法人環境エネルギー政策研究所所長・飯田哲也氏の講演録を引用。

6　国土形成計画（全国計画）は2023年7月28日に閣議決定された。

7　出入国在留管理庁における「技能実習制度及び特定技能制度の在り方に関する有識者会議」の2023年5月11日の中間報告書では、「現行の技能実習制度は廃止して人材確保と人材育成を目的とする新たな制度の創設を検討する。特定技能制度は制度の適正化を図り、引き続き活用する方向で検討し、新たな制度との関係性、指導監督体制や支援体制の整備などを引き続き議論する」との提案がされている。

8　CASEとは、「C：Connected＝ネットワークへ常時接続したつながる車」「A：Autonomous（自動運転）」「S：Shared & Service（シェアリング&サービス）」「E：Electric（電動化）」の自動車産業の四つの重大トレンドの頭文字を取った造語。欧州自動車産業は、デジタル化、電動化を推進し、クルマをIoT端末として、自動車産業を製造業からモビリティ産業へ変革させるCASE戦略を進めている。中西孝樹（2018）『CASE革命』日本経済新聞出版社、7頁。

9　国土形成計画（全国計画）、2023年7月、19頁

10　国土形成計画（全国計画）、2023年7月、20頁

11　国土形成計画（全国計画）、2023年7月、20頁

12　国土形成計画（全国計画）、2023年7月、18頁

13　国土形成計画（全国計画）、2023年7月、24頁

14　2008年、第一次三遠南信地域連携ビジョン策定を契機に同年、官民連携組織である三遠南信地域連携ビジョン推進会議（SENA）」が設立された。

15　人口規模は2020年国勢調査に基づいている。

16　注15に同じ。

17　長野県南信州の伊那市は、人口が6.6万人であるが、各種の医療機器を搭載した専用車両「INAヘルスモビリティ」に看護師が同乗して患者宅に出向き、ネットワーク経由の診療により医療機関内の医師が診察を行う在宅医療サービス（モバイルクリニック）や、自宅から目的地まで、ドアツードアで移動できる乗合タクシー（ぐるっとタクシー）、中山間地域の買い物弱者を支援するためのドローンによる迅速な配送とケーブルテレビによる手軽な注文を組み合わせた支え合い買い物サービス（ふれあいマーケット）などの実装化が進んでいる。（伊那市HPなどを利用して作成）。

18　やまがたAI部は、データ分析やAIといった情報技術を用い、課題を数字的・数理的アプローチで解決できる人材の育成をめざしている。具体的には、変化が激しい先行き不透明な時代をたくましく切り拓くための資質・能力を養う課題発見・課題解決学習である探求型学習の一環として、県内の高校生を対象に、高校という枠を越え、部活動という形式で取り組みをスタートしている。2020年8月に活動を開始して以来、2022年度は21校／130人以上の高校生が入部している。活動は、放課後に、WEB会議システムを使ってAIに関する先進技術やデータサイエンスを学んだり、休日には工場見学やAI機器等の見学等も行われている。（出典：https://www.yamagata-ai.org/about（2023年8月24日）、佐藤俊一（2022）「山形県の未来を高校生が変える！山形AI部の取組」『産業立地』61巻1号、15頁）

19　作野は、「関係人口は2016から2017年にかけて広まった新しい概念であり、その源流は、1年以内に出版された三つの出版物と考えられ、その後は関係人口という用語が社会に急速に流布していった」と述べている。具体的な出版物は、高橋博之（2016）『都市と地方をかきまぜる「食べる通信」の奇跡』、雑誌「ソトコト」編集長の指出一正（2016）『ぼくらは地方で幸せを見つける』、2017年10月に出版された田中輝美（2017）『関係人口をつくる』であるが、いずれも2016年以降である。出典：作野広和（2019）「人口減少社会における関係人口の意義と可能性」『経済地理学年報』第65巻（10～28頁）

20　ふるさと住民票は、構想日本が2015年に公表した提案であり、法律に基づく住民票とは異なり、出身者等、すでにある関係性を続きやすくし、さらに深める、これまで関わりのなかった人たちと新たに関係性をつくる、通過するだけになりがちな通勤、通学者、観光旅行者などに、さらに愛着を深めてもらえるような関係性をつくる等を目的としている。とにかく誰でも!!を合言葉に、まちの出身者、ふるさと納税をした人、自然災害等で避難・移住している人、複数の地域で居住している人や別荘を持つ人、住民登録をしていない一時的な居住者、通勤･通学をしている人、その他（ふるさと住民カードのデザインを気に入った人等）、希望する人は誰でも登録できる。登録すると、

自治体から、広報誌、メルマガなどを送付することによる町の情報提供、公共施設の住民料金での利用、祭りや伝統行事の紹介、参加案内、まちの意思決定に対する意見募集（パブリックコメントなど）、ふるさと住民名刺を渡す等のサービスを受けられる。2022年10月現在、全国13市町村で実践されており、鳥取県日野町、兵庫県丹波市ではパブリックコメントの募集対象者にもなっている。（出典：構想日本HP　http://www.kosonippon.org/（2023年8月27日）、鳥取県日野町、兵庫県丹波市ホームページ）

21 情報通信審議会情報通信政策部会第2回IoT新時代の未来づくり検討委員会（2018年1月25日）の東京大学大学院情報学環教授・越塚登氏の資料（6頁）より作成。

22 国土形成計画（全国計画）に関する計画部会報告案に（2023年5月26日）おいては、中枢中核都市等（浜松市、豊橋市、静岡市が該当する）を核とした広域圏の相互間の交流・連携の重要性や、当該広域圏相互間の連結強化を図る「全国的な回廊ネットワーク」の形成の重要性が示されている。

23 アジャイルとは、「素早い」「機敏な」という意味であるが、ここでは実証実験に取り組みながら、試行錯誤を行い、より実装化に近づけていくことを指している。

24 広島県から山口県にかけての地域（福山市、尾道市、三原市、東広島市、呉市、広島市、廿日市市、山口県岩国市、周南市、山口市、防府市、宇部市）も概ね人口10万人以上の都市が連なっている。

2編

DXによる生活の変化とスマートリージョン

デジタル化する自治会と新たな地域社会像

小野　悠

1 地域社会におけるデジタル化の波

近年、地域社会における市民参加型のデジタル・プラットフォームが注目されている。オンライン上で多様な市民の意見を集めるだけでなく、それらを実際の政策に反映させる、というものだ。この動きは世界的に広がり、デジタルツールを活用して多様な主体が協働して社会課題を解決する動きが活発化している。たとえば、スペイン・マドリッドでは市民がアイデアを提案し、投票結果によってファンドから資金が得られるプラットフォーム「DecideMadrid」注1が、フランス・パリでは市の予算を市民が決める提案・投票型プラットフォーム「Madame la Maire, j'ai une idée!」（市長、提案があります！）注2が運用されている。また、台湾では市民が立法プロセスに参加できるプラットフォーム「vTaiwan」注3が法令の草案作成に活用されている。このように、デジタルツールによって支えられた市民参加のプロセスを通じて、市民の声が自分たちの住む地域社会のあり方を決めていく時代が到来しようとしている。

デジタルツールを活用した地域社会への参加が世界的に広がる中で、日本では地域SNSが注目されている。同じ地域に住むユーザー同士が、地域の情報を共有し合うオンライン上のコミュニティである。自治体や企業も参加し、自治体からは子育てやまちづくりなどに関する情報が配信され、地域の企業や店舗からはキャンペーンや新店舗のオープン情報などが配信される。また、災害時の避難所や安否確認、医療関連の情報など、全国区のニュースでは取り上げられないような地域情報を知ることもできる。一般的なSNSに比べて、リアルなやり取りや交流に発展しやすく、住民による交流はもちろんのこと、地域への関心や愛着を高め、地域活動への参加を促すことでより良い地域社会の形成につながることが期待される。

デジタルツールが地域社会に浸透する中で、自治会の運営や活動を支援するツールが登場した。2019年に発生した新型コロナウイルス感染症の流行により、多くの自治会が活動の縮小・中止を余儀なくされた。そうした中で、オンライン会合の開催、電子回覧板の活用、会費のオンライン集金など、デジタルツールを活用する自治会が現れ始めた。役員の高齢化が顕著な自治会にあって、これまでデジタルツールの活用はほとんど見られなかったが、新型コロナウイルス感染症への適応策としてデジタル化が進んできたと言えよう。

筆者は都市計画の専門家として各地のまちづくりに関わる中で、自治会との連携がまちづくりの成否に大きく影響することを度々経験し、地域社会における自治会の役割は大きいと感じている。一方で、自分自身が自治会活動に積極的に参加しているかというと決してそんなことはない。自治会の組長を担当した際には、回覧板の手配、会費徴収、会合への参加、蛍光灯の取り替えなどを、仕事や子育てと両立しながら行うことはとても難しいと感じた。

そうした経験や問題意識から、2022年10月よりトヨタ財団研究助成プログラムを得て、自治会のデジタル化がどのように進んでいるのか、またデジタル化によって地域社会がどのように変わろうとしているのかを明らかにしようと研究を進めている。原稿執筆時点ではまとまった結果は出ていないが、これまでに分かった東三河地域を中心とする自治会のデジタル化の取り組みを紹介し、そこから見えてくるデジタル社会における新たな地域社会像を考えてみたい。

② 変化を求められる自治会

地域には自治会や子ども会、青年団など多様な団体が存在し、それぞれが役割を担いながらゆるやかにつながることで人々の暮らしが維持されてきた。こうした自治機能は、長年にわたる核家族化の進展やライフスタイルの変化、そして急激に進む少子高齢化などを背景に衰退し、とりわけ中核的な役割を担ってきた自治会の衰退が指摘されている。

自治会は町内会などとも呼ばれ、特定の地域に居住する者だけが加入できる地縁団体であり、2018年時点で全国に約30万団体存在する[注4]。他組織との大きな違いは多目的性であり、行政との連絡、隣接地域との利害調整といった公の仕事の他に、子ども会や高齢者クラブの援助、生活上の地域ルールの策定、イベント主催、消防や警察との連携、会員間の紛争調停などがある。住民の高い加入率を前提に、地域住民を代表する存在として地域の問題に総合的に対応してきた。しかし、役員の高齢化、未加入者の増加、自治会活動への参加率の低下、運営や活動の硬直化など多くの問題を抱える。自治会長の90％が60代以上、80％が無職・自営業、99％が男性というデータもある[注5]。

こうした中で、最近では、地域外の人材を含めた様々な新しいつながりが地域に投入され、活性化の一助となるケースが見られるようになっている。今後、地域の担い手不足が深刻化する中で、地域内外の人や組織が様々な形で地域に関わることのできる仕組みが必要になってくるだろう。しかし、だからこそ、その核に必要なのはやはりその地に生活基盤をもち、愛着があるというだけではなくリスクも引き受ける人々であり、そうした地域の人々の声を反映する組織として自治会の存在価値が依然大きいと言えよう。

また、人々の地域に対する考え方も変わりつつある。筆者が行った市民アンケート調査やインタビュー調査では、地域コミュニティに参加したい、自治会や地域に貢献したい、という意欲をもつ人が増えているものの、参加方法や地域コミュニティの存在自体が分からないという声が多く聞かれた。テレワークの普及により自宅で仕事をする機会が増え、地域にいる時間が長くなることで、地域に関わりやすい環境が生まれつつある。デジタル社会において、地域への新しい関わり方が求められている。

3 東三河地域における自治会のデジタル化の動き

東三河地域において自治会のデジタル化は様々な形で進んでいる。以下では、東三河地域を中心に、**[1]** 汎用アプリを活用している事例、**[2]** 自治会と地元企業が二人三脚で独自アプリを開発・導入している事例、**[3]** 自治体主導で導入が進められている事例を紹介する。

[1] 汎用アプリの活用

自治会で使われる汎用アプリでもっとも多いのはLINEであろう。自治会でのLINE活用方法がインターネット上でも紹介されている。高齢者にもっともよく使われているのもLINEであろう。これまでにも役員間の連絡にLINEが使われることはあったが、住民にもその利用を広げ、回覧板や掲示板の代わりとして使われ始めている。

1 ミラまち

愛知県の豊橋駅から豊橋鉄道渥美線に乗って10分ほどのところに「ミラまち」がある。2019年に分譲を開始したばかりの新しい住宅地である。2022年時点で約100世帯が入居しており、今後400世帯にまで増える見込みだ。入居者は30代の共働き子育て世帯が多く、筆者がインタビューした自治会長も30代という若さである。一般に自治会では定年退職した男性が自治会長をつとめることが多いが、この地域にはそうした世帯が存在しない。そのため、仕事や子育てと両立するために、自治会の設立当初より、手間を減らし活動の透明化を図ろうと、自治会のデジタル化がめざされた。会長自身がインターネット上で自治会のデジタル化について調べ、YouTubeで見つけたLINEを使った方法が良さそうだということで、LINEを利用することにしたそうだ。全世帯が入るLINEグループをつくり、市の広報や議事録の共有、イベント案内などを行なっている。筆者もこのLINEグループに入っているが、落とし物情報やネコの保護情報が流れてくることもあり、住民の人柄や地域の雰囲気を知ることができ、地域の一員であるかのような感覚を味わっている。今後は総会や会費徴収、名簿管理などについてもデジタル化を進めたい、とのことである。過去の情報を蓄積して引き継ぎをスムーズにすることで、誰もが負担少なく自治会の運営に関われるようにすることがめざされている。

2 梅が丘自治会

三重県四日市にある「梅が丘自治会」は約20年前に造成された住宅地に暮ら

す約130世帯で構成される。ミラまちと同様に、30～40代の若い世代が多く、仕事や育児と両立させようと自治会のデジタル化が進められた。現在、自治会のLINEグループには全世帯の98％が参加し、総会や役員会の出欠確認、回覧版・活動案内の周知などに使われている。また、役員会のウェブ開催、総会のYouTubeライブ配信、外部決済システムによる口座引き落としやクレジットカードでの会費徴収、オンラインツールによる住民アンケート、集会場と共有駐車場の利用予約システムなど、自治会活動全般にわたってデジタル化が進められている。

こうしたデジタル化を推進したのは、2016年度に30代で自治会長に就任したH氏である。それまで自治会長は1年交代であったところ、H氏は2021年度までの6年間務めた。これは、梅が丘自治会の念願であった集会所を建設するという目的があったためである。住宅地の造成以来、梅が丘自治会には集会所がなく、資金が貯まり次第集会所を建設することが総会で決まっていたものの、1年交代の会長の下では実現が難しく、H氏が3年をかけて実現した。また、集会所の建設と並行して、H氏が就任当初よりめざしていた自治会活動のデジタル化が、コロナ禍が追い風となる形で進んでいった。

自治会の運営や活動にデジタルツールを活用することで、総会・役員会の出欠確認や集会所の管理、住民への連絡がスムーズに行えるようになり、会費を集める手間が省け、日々の業務が大幅に減ったということである。そして、面倒が減った分、地域のイベントに力を入れているが、そこにもデジタルツールが活用されている。たとえば、中秋の名月に飾られるお供え物を子どもたちが盗む風習として各地に残る「お月見泥棒」というお月見イベントでは、子どもたちが各家を回ってお菓子をもらう様子をYouTubeライブ配信した。子どもたちは各家を回りながらYouTube配信にコメント投稿するなど、大人たちが驚くほどデジタル空間でのコミュニケーションを併用してイベントを楽しんだそうである。「みんなが嫌なことはデジタル化で効率化し、その分、楽しいことに力を入れる」ことで、住民同士のつながりを深めている様子が伺える。

[2] 自治会と地元企業による専用アプリ開発

自治会と地元企業が二人三脚で自治会専用アプリを開発・導入している事例

がある。

1 デンタツくん

豊橋駅前の繁華街を含む松山校区自治会では、この原稿を執筆している時点で独自のデジタルツールを導入しようと地元企業との連携による取り組みをまさに開始したところである。松山校区自治会長のＭ氏は、自治会に若者が入りたがらないこと、高齢者などの孤独死、災害時の住民の安否確認などの課題を解決するため、近所にある自動車電装部品の修理会社と協働してアプリの導入を進めようとしている（図1、図2、図3）。

修理会社のＳ氏は、2018年に幼稚園のお迎えバス位置表示アプリ「ピタバス」を開発した。2020年にはＳ氏の子どもが通う小学校の情報伝達・連絡を効率化しようと、学校内の連絡総合アプリとして「デンタツくん」を開発・導入した。現在、豊橋市内の小中学校・高校で延べ7千人以上が利用し、2023年度からは、教科書販売店に委託販売を依頼し、新たに市立小中学校20校と田原市では教育委員会主導の下、市内の小中学校へ一括での導入が決まっている。このデンタツくんを自治会の課題解決に使えないかということで、自治会長Ｍ氏と連携し松山校区での試験的な導入が決まった。

図1　松山校区自治会で自治会長らがスマホにデンタツくんを入れる様子

東愛知新聞　2023年（令和5年）5月18日（木曜日）　総合　《2》

回覧板の電子化へ始動

DXの影響、技科大が研究

豊橋の松山校区自治会

豊橋市の松山校区自治会は16日夜、集会を開き、回覧板の電子化に向けた活動を始めた。同市入船町の産業用電気機器卸「スミ電機工業所」が開発したアプリを使う。地域活動にデジタル化（DX）が与える影響などについて、豊橋技術科学大学が研究する。【山田一晶】

自治会は4000世帯が加入する。宮下孫太朗会長によると、校区は駅前を中心に再開発が進んでいる。マンションが立ち並ぶなど、新しい街へ生まれ変わろうとしている。

そこで新しい住民を迎え入れるにあたり、コミュニケーションツールとしての電子回覧板の導入の検討を始めた。防災面でも安否確認などに役立つ。

一緒に街のビジョンづくりなどを進めてきた技科大の小野悠准教授（建築・都市システム学系）が学生とともにデジタル化をサポートし、コミュニティーにどのような変化が生じるかについて、住民アンケートで研究する。小野准教授は「行政からのトップダウンではなく、住民からのボトムアップでDXを進める点がユニーク。短期的にはDXのメリット・デメリットを、長期的には住民の幸福度への寄与なども調べたい」と話した。

スミ電機工業所が提供するアプリは「デンタツくん」。6公立小中学校、私立中学と高校、英会話教室、音楽教室などで利用されている。出欠確認などに使われており、今年度中に利用者1万人を目標に導入を進めるという。スマートフォンでQRコードからログインし、出欠連絡、お手紙（メール）、スケジュール管理、資料配信、アンケートなどが可能だ。地元業者なので、改善の要望もしやすい。

この日は、自治会長24人らが出席。手取り足取りでアプリのダウンロードとログイン手順を教わった。難しい人には学生たちが手伝った。

宮下会長は「他の校区自治会のモデルになれば」と話している。

学生の手助けでアプリにログインする自治会長＝松山校区市民館で

デンタツくん

デンタツくんのチラシ（部分）

図2　地元新聞で松山校区自治会の取り組みが紹介
（出典：東愛知新聞 2023.5.18）

図3　デンタツくんの画面イメージ

デンタツくんは、自治会の校区・町・組という階層的な組織体制を踏まえた階層構造になっている。また、子ども会や防災団体など地域の他の団体も参加できるようタグによるグループ分けを可能にする工夫がされている。S氏によると、自治会には多様な住民がいるため目的意識の共有が容易でないこと、デジタルツールに慣れていない高齢者が多いこと、などが学校とは異なるため、実験的に導入し住民の声を聞きながらシステムをよりよいものにしていきたいとしている。今後、校区市民館に常駐する2名の事務職員がアプリの運用を担うとすれば、どの程度の負担となるかを確認しつつ運用方法を定めていきたいとしている。さらに、費用面については自治会内の事業者に広告・協賛を募ることで、アプリの持続的な利用だけでなく、地域経済の活性化や住民と事業者の交流促進などにつなげていきたいとしている。また、デンタツくんが既に複数の小学校で導入されていることから、小学校と自治会が同じアプリを使うことで校区単位のプラットフォームを形成し、校区内で効率的な情報共有が可能となることが期待される。

2 結ネット

自治会と地元企業の二人三脚によって開発された自治会専用アプリの先行事例に「結ネット」がある。結ネットは石川県野々市市から始まり、現在、世帯カバー率が野々市市で80％、金沢市で50％と大きく、全国的な広がりも見せている。東三河地域の豊川市や田原市をはじめ新東海地域の市町村でも実験・導入が進められていることからここで簡単に紹介したい。

結ネットは、野々市市に拠点を置くシステム開発会社のＹ氏が地域住民から自治会の課題を聞くうちに思いついたアイデアがもとになって開発されたアプリである。2014年に地元の自治会にデモを導入して住民の意見を聞きながら改良を繰り返し、2016年に野々市自治会連合会と契約して正式運用を開始した。

結ネットは、自治会の「役職がある」「役員交代がある」「上意下達」「規則がある」といった組織の特徴を踏まえ、IDに階層別の管理権を付与し、各種情報をサーバー上に置いて役職によって情報にアクセスする権限を制限することで、LINEのような双方向的なやり取りではなく、一方通行の情報伝達を基本とするシステムとなっていることが特徴である。また、IDは家族を基本単位としながらも家族の構成員を紐づけることを可能にしている。世帯単位での加入を前提とする自治会の特徴を踏まえながらも、住民一人ひとりが情報にアクセスできるようにすることで利便性を確保しており、デジタルツールだからこそ可能な機能と言えよう。さらに、緊急時モードに切り替えることで個人の安否確認に使えたり、PTAや子ども会、婦人会など地域の他団体を紐づけることができたり、といった工夫もされている。

2018年には近隣の小松市でも導入が決まった。小松市は2017年の台風による水災害の際に、市から町内会への情報伝達に課題があったことから、情報発信機能を有する結ネットの導入を決めた。導入直後に発生した西日本豪雨では、避難所開設の案内などがスムーズに行えたという。また、金沢市も同社と契約を結び、2022年時点で62ある町会連合会のうち40の連合会で導入されている。連合会全体で導入するケース、役員間のみで利用するケース、連合会の中の町会単独で導入するケースなど、様々な形で導入・利用されている。

結ネットの導入による効果として、過去の資料の保存・閲覧が容易になり役員の引継ぎが楽になった、オンライン会合の開催案内がリンク付きで発信できるため会合の出席率が上がった、行政・校下・町内会の情報伝達が改善された、町内会の加入率が増加した、といった声が聞かれる。また、役員負担が減ったことで若い役員が増えたという報告もある。最近では結ネットを使って良かったと感じた人が周りの友人や知人に勧めることで利用者が増えているようだ。さらに、他のサービスと連携させることで、たとえば、高齢者の見守りに使われるなど、地域のインフラとしての結ネットの新たな展開も見られる。

[3] 自治体主導の取り組み

こうした自治会の取り組みに対する自治体のスタンスは様々であり、東三河地域の豊橋市と豊川市はスタンスが異なる。

51校区に428の町自治会を有する豊橋市においては、市は自治連合会事務局として、「自治活動の手引き」を作成するなどして自治会の運営や活動を支えるものの、基本的には自治会は行政から独立した組織であるとして、デジタル化を含めて各自治会の判断に委ねるとしている。

一方、豊川市では、結ネットの会社と協定を結び、国の臨時交付金を活用して、2021年7月より結ネットの導入実証実験を行っている。実証実験1年目には10町内会、約1800世帯が参加していたが、2023年3月時点では23町内会、約4600世帯にまで増えている。利用者を増やすために、IT利用のサポート教室や導入の実演を行っている。回覧板の投稿や掲示板での情報共有から総会の出欠確認や資料共有まで、結ネットを活発に利用している町内会もあれば、十分に活用できていない町内会もある。2年間の実証実験を経て、2023年度より正式運用が開始され、協賛広告による持続的な運営に向けた取り組みが始まっている。

 デジタル社会における新たな地域社会像

[1] デジタル化する自治会の今後

東三河地域を中心に、自治会のデジタル化が様々な形で進みつつあることを

見てきた。若者の参加を増やしたい、地域の情報を伝えたい、安否確認できるよう住民とつながりたい、仕事や子育てと両立させたいなど、自治会が抱える課題をデジタル化によって解決しようとする試みである。その結果、役員の負担が減った、情報伝達が改善された、会合の参加者が増えた、自治会の加入率が増加した、若手の役員が増えた、といった効果が現れているところもある。また、デジタル化によって負担が減った分、地域住民で楽しめることを増やし、つながりを深めていこうとする取り組みも見られる。

一方で課題もある。デジタル化に関心をもつ役員・住民がいるものの、自治会での合意形成が難しくデジタル化を進めることができないという問題が多く聞かれる。また、デジタルツールを導入しても、利用者が増えない、アプリを十分に活用できない、といった課題もある。さらに、有料アプリを利用する場合には、イニシャルコストやランニングコストの負担をどうするのかという問題があり、事業者から広告・協賛をとることを想定しているところが多いが、成功事例がまだ見られない。予算規模が小さいことも自治会の特徴のひとつであり、持続的な運営モデルが模索される。

また、本章では自治会専用アプリとして「デンタツくん」と「結ネット」を紹介したが、全国的に様々なアプリが誕生している。豊川市のように市町村が主導してアプリを一括導入するケースがある一方で、デジタル化するかどうか、デジタル化するのであればどのツールを利用するのかなどについて自治会の判断に委ねている市町村も多い。自治会と地元企業が地域の課題を共有し、地域に適したアプリを開発・導入するという取り組みはとてもすばらしい。一方で、地域は、たとえば豊橋市では市・校区・町・組といった階層的な構造になっており、階層間の円滑な情報伝達が重要であるため、共通するデジタル基盤を使った方がよいという意見もあろう。また、地域内の多様な団体の円滑な連絡・連携においても同様のことが言えよう。

現段階では、自治会単位での業務の効率化・負担の軽減に主眼が置かれているため、自治会間や地域団体間などの横のつながり、あるいは階層を超えた縦のつながりがあまり意識されていないように見える。今後、どのような空間単位でプラットフォームを構築するのがよいのか、また、デジタルツールを利用して地域住民の声をいかに地域社会や行政のまちづくりに生かしていけるのか、といった議論の展開が期待される。

[2] 誰もが担い手となる地域社会へ

デジタル社会において人々の地域への関わり方は変容しつつある。近世以前の地域社会では暮らしの場＝働く場であり、地域には複合的な機能を持つコミュニティが形成されていた。分業が進んだ近代以降は働く場が地域社会から離れ、人々は多くの時間を職場で過ごし、職場コミュニティが人々にとって重要な位置を占めるようになった。デジタル社会ではテレワークが普及し、働く場が一部地域に戻りつつあると同時に、人々はデジタルツールを活用して地域や職場以外にも様々なコミュニティに重層的に所属するようになっている。人と地域社会の関係性が再構築される中で、地域社会を支える新たな地域自治のあり方が求められている。

これまで地域自治の中核を担ってきた自治会は、今後どのような役割を担っていけるだろうか。地域住民の声が自分たちの住む地域社会のあり方を決めていけるようなプラットフォームとなり、若い世代や働く世代を含めた多様な人々がそれぞれの関わり方で参加できる組織に再生されることが期待されるのではないか。一人ひとりが地域社会の担い手となり、多様な人々の知恵や情報が活かされ、誰にとってもオープンで、誰もがフラットに参加できるような地域社会の基盤となることが期待されるだろう。

注

1 https://decide.madrid.es/

2 https://idee.paris.fr/

3 https://info.vtaiwan.tw/

4 総務省（2019）第32次地方制度調査会第24回専門小委員会参考資料4「公共私の連携（地域の共助組織のあり方）について」

5 伊達市・伊達市連合自治会協議会（2014）「単位自治会実態調査結果報告書」

リアルとデジタルを繋ぐ可動商店街「軽トラ市」

戸田敏行

人口が減少してゆく縮減社会では店舗の存続が困難になり、店舗の減少が地域の持続性を奪う負のスパイラルを生んでいる。一方、地域に目を移せば、コロナ禍を契機として移動販売やキッチンカーなどの可動店舗に注目が集まっている。建築物である固定店舗は人口減少下での維持が困難になり、急増している電子商取引（EC）からなる仮想店舗が地域の商店とコミュニティを消滅させる懸念もある。そこで、「固定店舗」と「仮想店舗」との間に「可動店舗」を位置づけ、リアルとデジタルを繋ぐことで、地域の持続性を見出す試みとしたい。本稿では「可動店舗」の集合体を「可動商店街」として、新東海地域に集積が見られる「軽トラ市」を事例に、その実態と将来展開を考えてみたい。

1 可動店舗と地域

［1］可動店舗の一般化と集合化

まず、可動店舗が地域社会に広がりを持ってきた状況から確認しておきたい。東海地域の代表的なブロック紙である中日新聞の記事を「移動販売」で検索（2022年12月22日まで）してみると、1200件ほどが抽出される。これを年代別にみると、記事が拡大するのが2010年頃からである。2008年に「買い物難民」が取り上げられ経産省が対策を講じる時期に合致しており、この頃から社会的注目が拡大してきたことが分かる。詳細に記事をみると2011年の東日本大震災後の対応に可動店舗が活躍したことが示されている。

次の拡大は2020年以降のコロナ禍がもたらしたものであり、いずれも非常時的な対応であった。コロナ禍でも、当初は3密回避としての屋外販売であったが、買い物難民対応や飲食店への打撃と相まって、恒常的なビジネス形態として定着しつつある。

一方、上記の新聞記事をみると、全国に広がる「とくし丸」のように生活維持に関する必需品型の移動販売と、キッチンカーのように嗜好品型のものがある。特に、嗜好品型を中心に複数の可動店舗が出店し地域の魅力を形成する試みが多くみられ、可動店舗の集合化が試みられてきたことが分かる。

[2] 可動店舗の受け皿としての既存商店街

可動店舗の拡大に対して、一部には可動店舗と自治体のマッチングを始める企業も出現しているが、開催側となる地域の取り組みが遅れていると感じる。そこで、既存の商店街が受け皿になることが考えられないだろうか。

中小企業庁が5年ごとに実施している「商店街実態調査」[注1]の最新版（2021年）によれば、全国の商店街は1万3408である。人口でみれば1万人弱に1カ所となる。商店街の状況を空き店舗率でみると、2003年7.3％、2021年13.6％と最近の20年で倍増している。重要な点は、空き店舗が今後増加するとする回答が全体で5割、人口5万人以下の市町村では7割近くになることであろう。

つまり商店街の担い手が、将来に展望を見出せないのである。必要な時に出現できる可動店舗を既存商店街に組み込むことは、こうした状況を打破できる可能性を示しているだろう。また、商店街は商業のみならず地域の諸活動の拠点である。可動店舗に関連する事業の運営を通した商店街の担い手の育成は、地域活動拠点の再生に繋がるものとなるであろう。

[3] 電子商取引の展開と可動店舗

次に、電子商取引（EC）と可動店舗の関係をみてみたい。「令和3年度電子商取引に関する報告書」[注2]によれば、小売りの主となる物販は2021年に総額13兆3千億円で、EC化率（受発注がコンピューターネットワーク上で行われる比率）は、8.78％と推計されている。コロナ禍前の2019年が6.76％であり、コロナ禍が要因となって比率が1.2倍に上昇した。しかし、物販の中でも分野によって

EC化率はかなり異なっている。書籍・映像等は46.2％、家電・PC類も38.1％と高く、生活雑貨・家具28.3％、衣類21.1％が中位、鮮度を必要とする食品類は3.8％、信頼性が重視される化粧・医療も7.5％と低い状況にある。

EC化率の上昇にあわせて、EC側からの実店舗の活用が進んできたことも自然であり、現時点では、EC商品の実物を手に取ることができるショールーム的な活用、EC購入商品の店舗受け取り、実店舗の中にオンラインでの専門職員の接客を加えることなどが模索されている。動く実店舗である可動店舗は、分野や機能においてEC化との補完関係を重視しながらICTを活かすことが更なる展開として有効であろう。

 軽トラ市の定義と全国展開

[1] 軽トラ市の発祥と定義

可動店舗は、地域社会で一般化し集合化も進みつつあり、既存商店街との連携やICT活用の可能性が高いことをみた。こうした可動店舗が集合する可動商店街として軽トラ市がある(図1)。軽トラ市とは、軽トラックを主とする軽自動車を店舗と見立てた定期市である。全国で軽トラ市を名称に含めているものが、現時点で100カ所以上確認することができる。

そのスタートは2005年の岩手県雫石町であり、その後全国に広がっている。開始の背景は商店街の衰退であり、農村部で利用しやすい軽トラックを店舗に見立てて集合化するというものであった。ただ全国的に見れば、軽トラ市と言っても軽トラックだけではなく、軽トラックの親しみ易さをシンボルにしながら、概ね軽自動車の可動店舗を出店形態としている。

軽自動車は日本独特の制度で、普通車とは税制などでも区分されている。そのため、大きさは規格化(長さ3.4m以下、幅1.48m以下、高さ2.0m以下)されており、このサイズが商店街の道路幅や町並み、または販売時の使い勝手に適合しているようだ。浸透性としても軽自動車保有台数は約3100万台、そのうち軽トラックは約450万台である。特に、人口密度に反比例して保有率が上がる傾向にあり、人口減少が激しい地域の貴重な移動手段と言える。

図1　軽トラ市の様子

[2] 軽トラ市の全国展開と新東海地域

2019年に実施した全国軽トラ市運営団体調査（以下、全国軽トラ市調査）によって、その実態をみていこう。軽トラ市の開催規模や頻度では、全国の軽トラ市の出店台数は平均30台であり、多いものは100台を上回る。これらが道路に並ぶのを見ると、可動商店街の実感が湧くことになる。来街者数は平均1回2千人程度であり、大規模なものは1万人を超える。開催回数は月に1回というものが最も多く、季節ごとの年数回から、ほぼ毎週開催のものもある。

軽トラ市の全国合計では、年間160万人程度の集客、出店は2千台程度（各軽トラ市1回あたり台数の合計）、出店登録はその倍程度はあるので4～5千台程度と想定される。**図2**に示すように、開催地は北海道から沖縄まで広く分布している。その中で三つの中心的な軽トラ市が存在しており、3大軽トラ市と呼ばれている。発祥の地である岩手県雫石町の「元祖しずくいし軽トラ市」、宮崎県川南町の「『定期朝市』トロントロン軽トラ市」、愛知県新城市の「しんしろ軽トラ市のんほいルロット」である。これらは、ちょうど日本列島の北、中央、

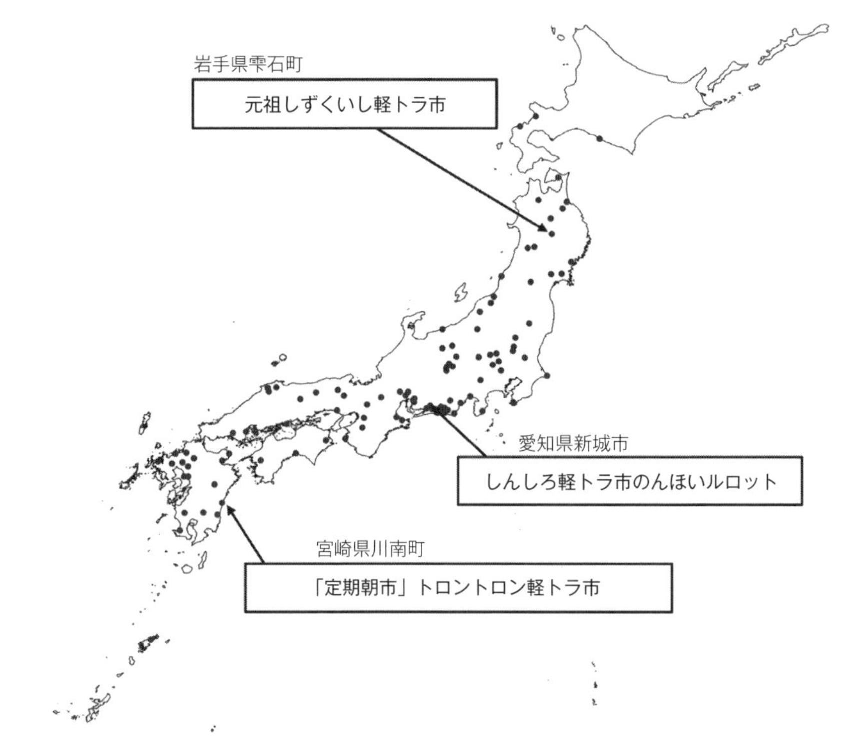

図2　全国の軽トラ市分布

注：2019年11月現在で把握できる117団体より作成

南に位置しており広域的な拠点性を持っている。これら開催地の市町村人口に着目すると雫石町1万5千人、川南町1万5千人、新城市4万3千人である。小規模な市町村で10年を越えて継続できているという事実は、様々な地域への応用性が高いことを示している。

新東海地域には、新城軽トラ市を中心として周辺に10程度の「軽トラ市」が集中している。特に、新城軽トラ市、磐田軽トラ市、掛川軽トラ市、浜松軽トラ市は、いずれもが後に述べる全国軽トラ市を開催（予定含む）した有力な軽トラ市である。地場産業である軽自動車産業との親和性も良いことがあり、可動商店街の展開を図るのに適した地域と言える。

3 軽トラ市の持つ持続性

[1] 運営面の持続性

軽トラ市の持続的開催のために重要なのは、第1に運営人材である。これまでに実施した全国軽トラ市調査によれば、運営主体として事務局と実行委員会を設けている例が大半である。事務局は商工会が多く、地域の商業者主体となっている。実行委員会も商業者が65％と多いが、経済団体、行政職員、漁業・農業関係者、一般ボランティアと多様な組み合わせがある。地域の各主体が連携した運営形態が軽トラ市を地域に根付いたものとしている。

軽トラ市を実施している商店街の空き店舗率を調べると2割以上が過半である。前述の中小企業庁全国商店街実態調査の結果と比較しても、決して活発な商店街とは言えない。それでもこうした商店街が軽トラ市の受け皿となり得ることを示している。新城軽トラ市を対象として、運営人材のまちづくり活動の経験を調べると、主要メンバーは軽トラ市以前から様々なまちづくり組織に属していたことが分かる。言い方を変えれば、軽トラ市はこれまで挫折してきたまちづくりの行きついた先とも言えるだろう。

第2は、補助金によらない運営である。全ての軽トラ市がそうであるとは言えないが、運営費の少なさがポイントである。考えてみれば、出店店舗はそれぞれが自立的な経営体なので、軽トラ市の運営費は低くなる。全国軽トラ市調査でも年間50万円以下が半数である。平均では年間86万円、1回あたりは約10万円となる。新城軽トラ市などの主要な軽トラ市では、出店料1台3千円で全てを賄っている例が多い。

第3に商店街への効果である。軽トラ市は道路を閉鎖する場合が多く、当初は商店街の店舗が反対したケースが多い。しかし、日常では見られない来街者数があることから、元は休日であった軽トラ市開催日を開店日にする店舗や、店舗前での販売や新商品販売等に進む変化が現れる。新城軽トラ市の場合は、従来扱っていなかった食材の取り扱いやレストランの開設、後継者の出現などがみられる。しかし、現状では軽トラ市による商店街店舗の活性化が充分に達成できているわけではなく、今後、軽トラ市と商店街を結ぶ機能として、来街者への商店街店舗の情報提供などICT活用が重要となるだろう。

[2] 出店店舗の持続性

出店店舗の持続が確保されるには、第1に取り扱い品目の広がりがある。主な品目は、肉、魚、野菜という生鮮食品や加工食品、その場で調理するキッチンカーなど食品関連であるが、衣料・雑貨類などの販売、エステなどの対人サービス、福祉や医療関係の出店も増えている。可動店舗に必需品型と嗜好品型があることを記したが、両者の集積によって商店街が持つような多様さを発揮するのが軽トラ市の魅力である。繰り返しになるが平均30台、多いところで100台を超える出店店舗が集まるのであるから、その集積が賑わいを生むことになる。これらが定期的に開催されるので、個別の出店店舗に固定客が存在する。新城軽トラ市の場合、各店舗の固定客比率は3割を上回る。

出店店舗には可動店舗専業、固定店舗を別途有しているもの、生産者の直販などがある。これまでは固定店舗を有したタイプが多かったが、近年は専業も増えている。また、軽トラ市のみの出店は1／4で、過半が軽トラ市とは別の出店機会を持っており、軽トラ市がそれらの拠点となっていることが分かる。また、軽トラ市出店店舗から数台が別の地区に出向く分散出店の例も見受けられる。興味深いのは、出店動機である。「売り上げの増大」を意図するのは3割程度で、商品の宣伝、固定客づくりなど、直接の販売以外の狙いを持っている。これらは、固定店舗やネット販売などに顧客を導こうとするものであり、軽トラ市に窓口的な役割を期待していると言えよう。

第2には、軽トラ市が起業や新規事業化を喚起する点である。新城等の新東海地域軽トラ市出店者を対象とした調査では、従前の可動店舗の出店ではなく、軽トラ市を契機とした起業と既存組織の新規事業が各々4割近いことが知れる。近年キッチンカーに関するビジネス講習が増えているが、軽トラ市と出店講習を組み合わせることで新たなビジネスづくりの起点となる可能性もあるだろう。

第3に出店店舗の本拠地の空間的な広がりである。自動車で移動するのであるから当然ではあるが、広域から出店店舗を集めることができる。これが人口の少ない地域でも軽トラ市を開催できる理由である。全国軽トラ市調査では、市町村外からの出店が3割という結果である。先にあげた川南軽トラ市は、8

割程度が町外からである。それ故に、人口1万5千人の町が130台以上の出店店舗を集め、1万人の集客を行えるのである。新城軽トラ市を事例とすると、50㎞圏程度までは広がりを持ち、県境を越えて出店店舗が集まっている。したがって、複数の軽トラ市が連動することで出店店舗の拡大も可能となる。

最後に、地域資源の循環について触れておきたい。食品のみならず、可動商店街が地域資源の循環を促進することは、地域の活性化にとって重要である。これも新城及び近隣の軽トラ市での調査結果であるが、「材料及び加工が地元であることが不可欠」が3割、「不可欠ではないがこだわりがある」も3割であった。直販者は生産者と販売者が同一であるが、販売のみの場合でも地元産へのこだわりが示されており、生産者を巻き込んだ取り組みとなる可能性が高い。

[3] 来街者の持続性

軽トラ市の来街者を持続的なものとするには、来街者の組み合わせが重要である。新城軽トラ市の来街者調査から定期客と不定期客の比率をみると、概ね定期客5割、不定期客3割、初めてが2割という構成である。来街者の半数が安定的に軽トラ市を支え、不定期・初めての来街者が変化を作っている。地域的にみれば固定客は地域住民が多く、不定期・初めては地域外に多く観光的な要素を持っていると言えよう。先に、移動販売を必需品型と嗜好品型に分けたが、必需品型＝地域住民、嗜好品型＝観光客とは必ずしもならず、むしろ逆の傾向がある。つまり、地域住民側からみれば嗜好品型の店舗が刺激となり、地域外からの観光客は地元の野菜などがお土産になるということである。

こうした来街者への情報提供も重要な要素である。口コミが基本であるが、テレビが媒体となるケースも1割程度ある。これも全国的な傾向であるが、軽トラ市はローカルなテレビ番組向きなのである。一方、弱いのがSNS等の若者向け情報発信である。情報発信が来街を促す手段となっていることは事実であり、情報発信手段の多様化を通じて軽トラ市の認知度を高める時期にもある。まさにICT活用が不可欠な分野であろう。

持続性の第2は、会話の魅力である。なぜ軽トラ市がこれだけの来街者を集め続けているのかは、当初の疑問であった。色々な調査を試みたが、ポイントは出店者との会話にあるようだ。出店者と客が会話を持つことは、対面商売の基本であるが、現代の小売りに欠落している点であろう。デパートなどは商品に関する専門的会話を重視するが、そこに行くには敷居が高い。大型店やECの増大は、脱会話の傾向を強めている。

会話が魅力であると分かったので、売り手と客の会話がどれほどあるかを計測してみた。2名の調査員（学生）が意識されないように来街者を追跡し、行動経路、行動内容を記録するのである。その結果、軽トラ市滞在時間の1／3が会話に費やされており、出店者との会話が圧倒的に多いことが分かった。会話の内容としては、商品についてとともに世間話が多くなっている。これはEC化によって失われる人間関係を、軽トラ市が有していると言える。デジタルの効率性とリアルな対面の魅力を組み合わせることで、両者の相乗的な効果が期待できるのではないだろうか。

4 軽トラ市のネットワーク

[1] 軽トラ市の増殖パターンとネットワーク

軽トラ市のユニークな点は、全国に広がる軽トラ市ネットワークが機能していることである。そして、軽トラ市のネットワーク化はその増殖パターンと関連が深い。軽トラ市が2005年の岩手県雫石軽トラ市から始まったことを記したが、軽トラ市は紛れもない発明品である。たとえ衰退傾向にある商店街でも、身の丈の資金、人材で実施できるのである。しかし、発明品であるだけに先行例を見なければ実体は分からないし、何もない道路に可動店舗の商店街が現れる状況を見なければ実感できない。つまり、軽トラ市の先行事例に学ぶということである。雫石、川南、新城が3大軽トラ市であるが、全国軽トラ市調査でその手本となった軽トラ市を調べると、全国の6割が3大軽トラ市から派生していた。この増殖パターンが、軽トラ市ネットワークの生まれやすい状況を作ってきた。

[2] 軽トラ市ネットワークの具体化

次に、軽トラ市ネットワークの具体像について紹介したい。ネットワーク化も元祖である雫石軽トラ市の発想である。最初に軽トラ市が始まった時には、それほど社会的に注目されなかった。しかし、集客力があることが徐々に伝わり出すと、企業による模倣が現れだす。商店街活性化が目的なので、広がることは本来の意図であるが、地域から離れて企業に囲い込まれることは避けねばならない。そこで、雫石軽トラ市は「軽トラ市」の商標登録を取得した。これは今日に続いており、各地域が軽トラ市を名乗ることは推奨されるが、特定企業独占への対抗策となっている。

こうした雫石軽トラ市の考えは、全国の軽トラ市の連携を進め、軽トラ市運営団体が集合する全国軽トラ市・軽トラ市サミットを生むことになった。全国軽トラ市とは、文字通り全国の軽トラ市から出店される軽トラ市ということであり、軽トラ市サミットはシンポジウム等で構成され、軽トラ市同士の経験や知恵の交流の場である。第1回の全国軽トラ市は、雫石軽トラ市のスタートから9年後の2014年である。開催地をあげると、第1回岩手県雫石町（2014年）、第2回愛知県新城市（2015年）、第3回宮崎県川南町（2016年）、第4回静岡県磐田市（2017年）、第5回栃木県宇都宮市（2018年）、第6回静岡県掛川市（2019年）、2020年・2021年はコロナで延期、第7回長野県長野市（2022年）、第8回静岡県浜松市（2023年予定）となっており、新東海地域での開催が多い。全国軽トラ市に併せて全国の軽トラ市が組織化されるが、名称を「全国軽トラ市でまちづくり団体連絡協議会」といい、略称が「軽団連」である。軽く、小さく、しかし全国的な動きを指向した名称である。

さて、こうした全国組織であるが、経験や知恵を交流するには、形式よりも運営者同士のつながりが重要である。特に、近隣の軽トラ市運営者のネットワークが形成されることによって日常的な交流が可能となり、出店店舗も相互に乗り入れるようになる。新東海地域の場合、愛知県・静岡県・長野県の県境を越える三遠南信地域の「三遠南信地域連携ビジョン」で軽トラ市のネットワーク化が位置づけられており、新城軽トラ市など三遠南信地域内の軽トラ市運営者、行政、自動車企業、大学が、「三遠南信地域軽トラ市ネットワーク会議」を形成している。また、コロナ禍で軽トラ市の開催が困難となったことを契機に、軽トラ市ネットワークのweb化が促進され、ネットワークの交流密度が格段に上がってきた。

5 軽自動車産業との協働

[1] まちづくりと自動車

少し視点を変えて、まちづくりと自動車の新たな関係に注目してみよう。まずは、軽自動車の地域存在量を考えてみる。軽自動車の保有台数は人口密度に反比例すると記したが、全国の市区町村を軽自動車の世帯保有台数の多い順から5グループに分けてみると、最も高いグループ379市区町村では、軽自動車全体で平均1.5台／世帯、軽トラックで平均0.5台／世帯の保有台数となる。軽自動車全体では一人に一台というスマートフォンと同様の浸透ともいえる。こうした状況からみれば、人口減少するような地域で、軽自動車を地域の持続性のために活用してもらうのが、軽自動車産業の重要な使命なのであろう。

次に、車の利用方法である。自動車産業の変革に関連して、電気自動車などの脱炭素を進めるGX（グリーントランスフォーメーション）や自動走行などのDX（デジタルトランスフォーメーション）という技術的な革新性が注目されるが、車とは何なのか、どのように活用できるのかを考えねばならないだろう。車は人や物を動かす器であるとともに、可動店舗のように空間自体が動いているという視点を持つことが重要に思える。かつて川添登の移動空間論[注3]や住宅とドッキングしたツボ車[注4]などの発想があった。その後、メーカーは自動車という移動手段＝単独工業製品の生産に特化してきたと思える。コロナを契機として、可動店舗のシステム化（例えば、可動店舗に適したデザインや出店場所紹介の仕組みなど）やテレワークに対応した可動オフィスパークなどが出現してきた。車をまちづくりの資源として再考することは、まちづくり側にとっても自動車側にとっても有用なことではないだろうか。

[2] 軽トラ市への協働

こうしたことを背景に、軽自動車産業は第1回の全国軽トラ市以来、軽トラ市に関心を持ってきた。当初は、自動車企業トップの軽トラ市参加として始まり、2017年東京モーターショー等の機会に軽自動車の新たな活用方法として、軽トラ市が紹介されるようになる。2019年東京モーターショーでは、会場であるビッグサイトの前面で軽トラ市が開催されており、東京モーターショーからジャパンモビリティショーに名称を変更する2023年にも、軽トラ市開催が決定している。また、日本自動車工業会の軽自動車委員会[注5]では、軽トラ市との協働を基幹的な事業として位置づけ、主要軽トラ市での取り組みを始めており、個別企業も軽トラ市への社員派遣や運営の技術サポートを展開している。

特に、新城では軽トラ市の会場となる商店街に、軽自動車ディーラーが店舗の移転を決めている。近年、自動車ディーラーはバイパス沿いなどに立地しており、商店街の中への立地はなかったことである。可動商店街の形成に両者が協働することの効果が期待される。

6 軽トラ市のデジタル化と ICT リテラシー

[1] 軽トラ市デジタル化の展望

軽トラ市は、これまでデジタル化に熱心に取り組んできたとは言えない。しかし、デジタル化に取り組むことは可動商店街の機能を高めるとともに、固定商店街の活性化にもつながると考えられる。例えば磐田軽トラ市において、2022年から軽トラ市を LINE 上に展開したモデル実験がスタートしており、出店店舗の商品予約も試行されている。筆者が考えるデジタル化モデルには四つのポイントがある。

第1は、運営の自動化を進めることである。限られた人材で運営されるのが軽トラ市であり、持続性を高めるには出店車の登録から配置に至るまでの効率化は欠かせない。第2は、軽トラ市の現場だけではない販売ルートを創出することである。可動店舗の出店元となっている固定店舗への来街者の誘導や、その EC サイトへの誘導である。第3は、新たな来街者の開拓である。先に述べたように若者の来街を増やすためには、SNS の活用は不可欠である。

第4が最も重要なことかもしれないが、対面の魅力を増大することである。一見、対面とデジタルは相反するように思えるが、ネット上に個店の個性を情報として提供すれば、そこから対面での会話が広がっていく。また、軽トラ市は常時は存在しないが、メタバースのようにデジタル空間に再現された軽トラ市を設けることで、親しみが増すものとなる。現在では、全国の軽トラ市がネットワーク化されており、こうしたデジタルモデルが一挙に広がることが考えられる。そこでは、地域性のある物産の交流など、軽トラ市相互の協働が魅力ある販売商品を生み出していくだろう。

[2] 出店店舗のICTリテラシー

ところで、出店店舗にはデジタルモデル化に近づくICTリテラシーがあるのであろうか。2022年12月に新城・磐田・掛川の3軽トラ市に出店する約500台を対象とした調査結果を概観する。仕事上での情報通信機器の使用では、スマートフォンが7割、PCが8割で、殆どが対応可能である。SNSのアプリケーション利用ではLINEが7割と多く、FacebookとInstagramが4割である。活用方法としては、自社ホームページとSNS公式アカウントが5割程度、電子マネー決済が4割、ECモール出店は2割程度と、総じてまだ高いとは言えない。それでも上記のデジタルモデル化を進める上での基盤とはなり得るだろう。

個別軽トラ市の独自サイトへの参加については、既に参加しているものも加えて6割である。「参加したくない」という出店者も4割あり、参加のハードルを下げることや様々なレベルの効果を示していくことが必要であろう。これは、軽トラ市スタート時の商店街の反応に似通っているかもしれない。発信したい情報としては、商品情報以外に店舗の情報として、個別店舗の取り組みやこだわりが6割となっており、対面の魅力を引き出す情報とも合致している。また、ICT利用についての研修を求める声も5割ほどあり、実施すれば軽トラ市のデジタル活用を促すことになろう。

固定・可動・仮想のベストミックス商店街をめざして

本稿では、軽トラ市を可動商店街と仮定して、その実態から実現性を考察した。冒頭に、固定店舗と仮想店舗の間に可動店舗を位置づけるとしたが、これらが相反するのではなく、地域の持続性確保に向けて、3者の利点を引き出して共存させることが重要であろう。その意味では、固定・可動・仮想のベストミックス商店街をめざすことが目標と言える。しかし、可動店舗や可動商店街はまだスタートした段階にあり、まずその充実が求められる。

そこで、軽トラ市の将来展望を述べておきたい。第1には、軽トラ市の増加である。本文には記し得なかったが、コロナ禍を経て再開途上にある軽トラ市も多い。また、移動販売・キッチンカーの需要拡大から軽トラ市新規開設への期待がある。それらを円滑に行うための運営マニュアルや既存軽トラ市からの支援のシステム化が有効である。第2には、固定商店街に可動店舗を組み込むための空間整備である。道路や空き店舗の活用にも、可動商店街を組み込むためのエネルギー供給や保管スペースなどの施設・設備整備が重要となろう。第3に、軽トラ市の全市的な活用である。軽トラ市出店店舗が複数台数で分散出店する軽トラ市について記したが、居住地付近で開催される軽トラ市は高齢者の外出機会や交流を生み出すなどの効果もある。その地域需要や出店場所のマッチングなど、自治体単位で計画されることが現実的であろう。これらを円滑に進めるためにも「軽トラ市」のICT化が重要となる。

まとめとして、現在の軽トラ市は100程度であるが、これを1千にすると想定したい。これは、我が国の商店街の1／10ほどになる。軽トラ市は2005年に一つであったものが10年強で100を上回るものとなり、コロナ禍においても継続性を持ち得てきた。そうした前提に立つならば、これから10倍にすることは不可能ではあるまい。この点において軽自動車産業の果たす役割は大きいだろう。これまでのまちづくりでは、自動車企業と充分なパートナシップを組み得なかったが、新東海地域においてその体制整備を進めることが重要ではないだろうか。

注

1　中小企業庁「令和3年度商店街実態調査報告書」令和4年3月
2　経済産業省「令和3年度電子商取引に関する報告書」令和4年8月
3　川添登（1968）『移動空間論』鹿島出版会
4　上田篤（1979）『くるまは弱者のもの』中公新書で提案された坪庭をもじった小さな車で、「動くへや」をイメージしている。
5　2023年10月時点では、委員長スズキ社長等、軽自動車を生産する企業の代表者で構成されている。

参考文献

戸田敏行（2020 ～ 2022）「データでみる軽トラ市（1 ～ 18）」『軽自動車情報』（全国軽自動車協会連合会）2020 年 6 月号 Vol.814 ～ 2021 年 8 月号 Vol.828、2022 年 2 月号 Vol.834、2022 年 6 月号 Vol.838、2022 年 8 月号 Vol.840

戸田敏行（2021）「可動商店街『軽トラ市』の現状と展望」『人と国土 21』（国土計画協会）第 47 巻第 2 号

戸田敏行（2021）「特集：柔軟化する都市」『地域開発』（日本地域開発センター）2021. 秋、Vol.639

デジタルノマドの誘致による DX時代の関係人口の拡大・深化

幾度　明

デジタル技術を活用した関係人口の拡大・深化

[1] 我が国における人口の推移と今後の予測

現在、我が国の地域社会は様々な課題を抱えているが、その根源にあるものが、人口の減少と少子高齢化の進行である。我が国の総人口は既に減少局面に入っているが、まだ減少幅は少なく、国全体で人口が減っているという実感はあまりない。しかし、最新の推計（「日本の将来推計人口（令和5年）」）によれば、今後、急速に減少スピードが早まり、2070年の総人口は2020年の7割を下回り、減少数は約3900万人になると見込まれている。現在の東京圏（1都3県）の人口を上回る人々がいなくなってしまうということになるが、さらに深刻なのは、経済社会活動の主たる担い手である15歳から64歳までの生産年齢人口の減少である。2070年の生産年齢人口は、2020年の約6割となり、その減少数は約3千万人と予測されている。

出生率の回復などの政策的な対応はもちろん重要であるが、そうした政策の効果はすぐには現れないものであり、人口減少と少子高齢化が加速する状況は当面変わらない、という前提で諸課題に取り組んでいく必要がある。

[2] 国土計画が示す人口減少時代の地域活性化の方向

地域の活性化において、人口の有り様は極めて重要な要素であり、国土政策では長い間、地域の定住人口に焦点を当てた施策が展開されてきた。その意味からも、東京への人口の一極集中は常に問題視されてきた。

しかし、我が国全体の人口が減少し、少子高齢化が進む中、今後の地域活性化の取り組みは、定住人口の増加だけに軸足を置くのではなく、より多面的な視点で進めていかなければならない時代を迎えている。

最近の国土計画では、地域や人々の間のつながりを強めることにより、人口減少と少子高齢化の進行に対応しようとする考え方が示されてきた。

1998年に策定された5番目の全国総合開発計画である「21世紀の国土のグランドデザイン」で「参加と連携」が開発方式として示された後、2008年に策定された最初の「国土形成計画」では「交流」がキーワードとなった。新しい国土像として広域ブロック間での交流・連携等を進め、地域全体の成長力を高めていく姿を示し、地域間で、人、物、資金、知恵、情報の双方向的な循環を形成しながらお互いに無いところを補い合う取り組みが不可欠である、とした。

さらに、2015年に策定された「第二次国土形成計画」では、「対流」がキーワードであった。地域間の交流にとどまらず、ヒト、モノ、カネ、情報の双方向の活発な流れにより新しいイノベーションを地域で創出することが重要であるとし、こうした動きを対流と位置づけ、イノベーションの創出を促す国土構造として対流促進型国土の形成を図る、とした。

[3] 関係人口とは何か

連携から交流、そして対流という国土形成のキーワードの変化に伴い、人口についても、定住人口の拡大だけでなく、二地域居住などの居住形態の模索や交流人口の拡大などが議論されてきたが、「第二次国土形成計画」の対流促進型国土の考え方を受け、新たに関係人口という考え方が示されるようになる。

国土交通省に設置された「ライフスタイルの多様化と関係人口に関する懇談会」（以下「懇談会」という。）が2021年にまとめた『最終とりまとめ』では、関係人口を「移住や観光でもなく、単なる帰省でもない、日常生活圏や通勤圏以外の特定の地域と継続的かつ多様な形で関わり、地域の課題の解決に資する人たち」としている。

関係人口は、定住人口の減少に対応するものとして考えられてきた経緯もあり、当初は、交流の中から地域との関わりの濃度を高めていき、やがて移住することが想定されてきた。しかし、国全体の人口が減少する中、こうした道筋に加え、様々なタイプの関係人口が常に地域に存在し、地域の人々と交流することで新たな地域の活力を生み出す、ということが重要であると考えられるようになってきた。2023年7月に策定された「第三次国土形成計画」でも多様な形で地域と関わりを持つ関係人口の拡大・深化が一層重要になる、としている。

［4］多様化する関係人口と地域の関わり方

関係人口による活動は、デジタル技術の進歩と普及や政策による支援を背景に活発になってきており、地域との関わり方も多様になってきている。

田中輝美氏の著書『関係人口の社会学』と「懇談会」の『最終とりまとめ』を基に、関係人口と地域の関わり方を以下の通り整理した。

1 地域の外に住みながら関わる人々

ⓐ 訪問系の人々

訪問系の人々とは、地域の外に居住し、そこから地域を訪問し、地域の人々と交流しながら活動をする人々で、関係人口を考える場合、まずイメージされる典型的なタイプである。具体的には、地域での消費活動や趣味活動、地域の交流プログラムへの参加などの活動や、地域の産業創出や地域づくりのプロジェクトの企画・運営・協力、地域のボランティア活動への参加、地元企業や農家での就労といった地域活性化に直接つながる活動など地域との関わり方は様々である。

ⓑ 非訪問系の人々

地域の外から関わる人々の中で、このところ増えてきているのが地域を訪問しない形で地域と関わる非訪問系の人々である。

非訪問系の関係人口による具体的な活動としては、ふるさと納税、クラウドファンディング、地場産品購入などに加え、近年は、オンラインによる様々な交流活動が活発に行われるようになっており、「懇談会」の『最終とりまとめ』では、こうした人々をオンライン関係人口と位置付けている。拡大のきっかけは新型コロナウイルス感染症の蔓延であったが、このような交流活動が実現している背景にはデジタル技術の急速な進歩と普及がある。

②定住はしないが外から地域に移り住むことで関わる人々

ⓐ 二地域居住をする人々

自然増による人口の増加が難しい状況の中で、定住人口の拡大に向けて、移住促進策が多くの地域で講じられてきた。近年、移住への関心は高まりを見せているが、移住を実行するには課題も多く、大きな人口の流れをつくり出すところまでには至っていない。そこで、完全な形の移住が難しいのであれば、部分的な移住を考えようということで取り組まれてきたのが二地域居住である。二地域居住をする人々は、二つの地域を行ったり来たりする中で、地域に居住する間は、その地域の住民として地域と関わることとなる。国土政策ではかなり以前から議論されてきたが、人々のライフスタイルの変化が前提と言うこともあり、なかなか進展が見られなかった。しかし、近年、人々の暮らし方、働き方のスタイルや意識が大きく変わりつつある中、改めて関心が高まっており、促進に向けた政策的な動きも活発になってきている。

ⓑ 居住地を自由に移しながら地域と関わりを持つ人々

近年、デジタル技術の進歩と普及により、オフィスでの勤務に縛られず、自由に場所を選んで働く人々が増えており、こうした働き方は、テレワークやリモートワークと呼ばれている。そして、後述する世界の潮流を見ると、こうした働き方をする人々のライフスタイルも多様化し、その中で、より良いワークライフバランスを求めて、居住地についても、ライフスタイルやライフステージにあわせて変えていく、というような人々がこれから増えてくると考えられている。

関係人口の視点で見ると、これまでも、一定の目的意識を持って地域に移り住み、地域づくりに関わる活動をした後、定住せずに去る、という人々はいなかったわけではなく、その活動は、地域の活性化に大きな影響を与えてきたが、限られた存在でもあった[注1]。しかし、上述したように、これから居住地を自由に移しながら暮らし、働く人々が増えてくると、こうしたライフスタイルの人々が、関係人口として我が国の地域づくりに関わる存在になっていくかどうかは、人口減少時代の地域活性化を考えていく上で新たなテーマになってくると考える。

② 新しい関係人口の可能性を持つデジタルノマド

[1] デジタルノマドとは何か

世界では、定住地を持たずに居住地を自由に選び、国境を越えて旅をしながらデジタル技術を駆使してリモートワークをする人々が急増していると言われている。こうした人々は、遊牧民を意味する“ノマド”と“デジタル”を組み合わせてデジタルノマドと呼ばれている。様々な推計があるが、既に、数千万人規模のデジタルノマドが世界中に存在すると見られ、今後、デジタル技術の進歩と普及により、その数は爆発的に増えると見込まれている[注2]。

我が国でも、都会のオフィスを離れ、地方で休暇を取りながらリモートワークで仕事をするワーケーションが関係人口の拡大・深化の観点からも注目されているが、そこで対象となっているワーケーションを行う人々は、国内移動であり、定住地もあり、組織にも属している人々というのが大宗であり、世界のデジタルノマドのライフスタイルとはその特徴を異にしている。

[2] デジタルノマドの特徴

新しいタイプの関係人口となる可能性を持ったデジタルノマドの特徴をまとめると、組織との関係では、もともと起業家、フリーランスなど組織に属さない人々が多かったが、最近は、企業に雇用されて働く人々も増えているとの調査結果もある。企業もこうした働き方を認めるようになってきた、ということかもしれない。また、職業・職種としては、IT 関係をはじめ、いわゆる手に職を持つクリエイティブな仕事をする人々が多いと言われている。因みに、『世界を旅するデジタルノマドの誘致可能性を考える』（勝野裕子 JTB 総合研究所主任研究員）で紹介されている A Brother Abroad 社（アメリカの旅行情報サイト）のデジタルノマドに対するアンケート調査に回答した人々の職業・職種を見ると、1位マーケティング、2位 IT ／ソフトウエア開発、3位デジタルデザイナー、4位執筆（作家、コピーライター）、5位 E コマースとなっている。

こうした特徴を持つデジタルノマドは、どのような観点で自らの居住地を選んでいるのだろうか。様々な分析、見解があるが、その共通項を整理すると

- Wi-Fiなどのインターネット環境が整っていること
- 英語が通じやすいこと
- 居心地の良いコワーキングスペースがあること
- 様々な異質な人々との交流があること

などクリエイティブな仕事がしやすい環境に加え

- 住宅の得やすさ
- 治安の良さや物価の安さ
- 観光スポットや都市的エンタテイメント機能があること
- 気候の良さやすぐれた自然環境、魅力ある文化があること

など旅先としての魅力や住み心地の良さが具体的項目として挙げられている。

つまり、デジタルノマドは、仕事一辺倒ではなく、自分が行きたかった場所を旅しながら、充実したワークライフバランスを実現するライフスタイルを志向する人々であると言えるだろう。

[3] デジタルノマドの誘致と地域活性化

デジタルノマドは[2]で示したように、クリエイティブな職業を持つ人々が多く、地域の雇用を奪う可能性も低いことから、その知的な能力を地域づくりに取り込むことで、スマート時代の地域活性化に大きな効果が得られるものと期待される。こうしたことから、世界では、デジタルノマドの誘致に国や地域を挙げて取り組んでいるところが多く見られる。税収の増加などの直接的な経済効果だけでなく、地域の人々との交流や、新しい視点に立った地域資源の活用などを通じて新たな地域価値を創造していくことに可能性を見い出している国や地域が既に多く存在するということである。

具体的に世界で取り組まれているのが、デジタルノマドビザの導入である。デジタルノマドを対象としたビザの発給により、デジタルノマドがある程度長期間居住することが可能となる環境を整備し、デジタルノマドの積極的な受け入れを後押ししている。コロナ禍で観光需要が一気に冷え込んだことがきっかけとなり、近年、世界でこうしたビザを発給する国や地域が急増している。その数は50に迫っていると見られ、今後もさらに増えると見込まれている[注3]。

誘致の目的やターゲットとする人々の属性により、可能な滞在期間、個人の

費用負担、所得税の納税義務の有無、最低収入などビザの条件は、それぞれ異なっているが、デジタルノマドにとって、様々な選択肢の中から自らの暮らし方、働き方に適した地域を選択できる幅が急速に拡がってきていると言える。

3 デジタルノマドの視点から見た新東海地域

[1] 新東海地域における人口の推移と今後の予測

本稿では、世界のデジタルノマドを関係人口ととらえ、新東海地域の活性化に繋げることの可能性と道筋をとりあげる。新東海地域は様々な個性を持つ地域を含むが、デジタルノマドの居住地選好から見て、関係人口として地域の活性化にその存在を活かしていけるポテンシャルが高い地域は、東海道線沿線の都市地域と考えられるので、以下では、この地域を念頭に論じることとする。

図1は、全国及び東海道線沿線の都市地域（静岡、焼津、藤枝、島田、菊川、掛川、袋井、磐田、浜松、湖西、豊橋、豊川、蒲郡の各市。以下「東海道地域」という）の総人口と生産年齢人口の増減率の推移を示したものである。2005年頃までの東海道地域の人口増加率は、全国平均を上回っていたが、その後、全国の人口増加率の低下に伴い、東海道地域の人口増加率も低下し、全国平均レベルまで低下する。さらに、我が国の総人口が減少局面に入る2010年代以降は、東海道地域の総人口も減少し、直近では、全国平均を上回る人口減少率となっている。

また、地域の活性化との関係で重要な生産年齢人口について、東海道地域は1980年代の5％を超える増加率から急激に減少へと転じ、近年は3％を超える減少率を示しており、総人口と同様、その減少率は全国平均を上回っている。

将来の姿はさらに深刻である。**図2**は、2045年までの東海道地域の人口予測である。総人口、生産年齢人口ともに減少していくが、特に、生産年齢人口は今後急激に減少し、2045年には、1980年の4分の3程度まで減少すると見込まれている。地域の活力を示す一つの指標である従属人口指数（（0～14歳の年少人口＋65歳以上の老年人口）／（15～64歳の生産年齢人口））の推移を見ても、東海道地域の従属人口指数は、今後、全国平均を上回る形で高まり、2045年には1近くまで上昇することが予測されている。この地域は、人口ボーナス地域から人口

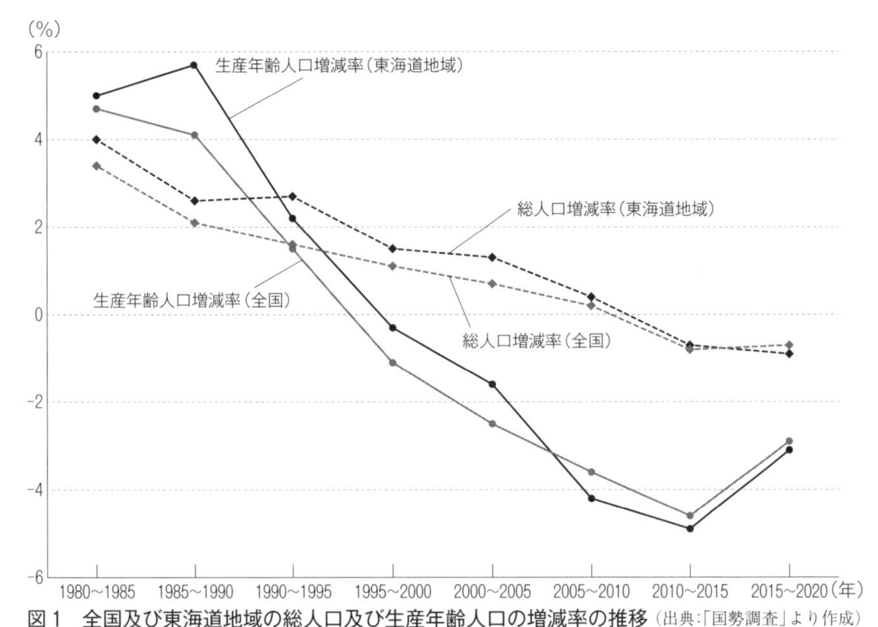

図１　全国及び東海道地域の総人口及び生産年齢人口の増減率の推移（出典:「国勢調査」より作成）

注：2015 年及び 2020 年の生産年齢人口は不詳補完値人口

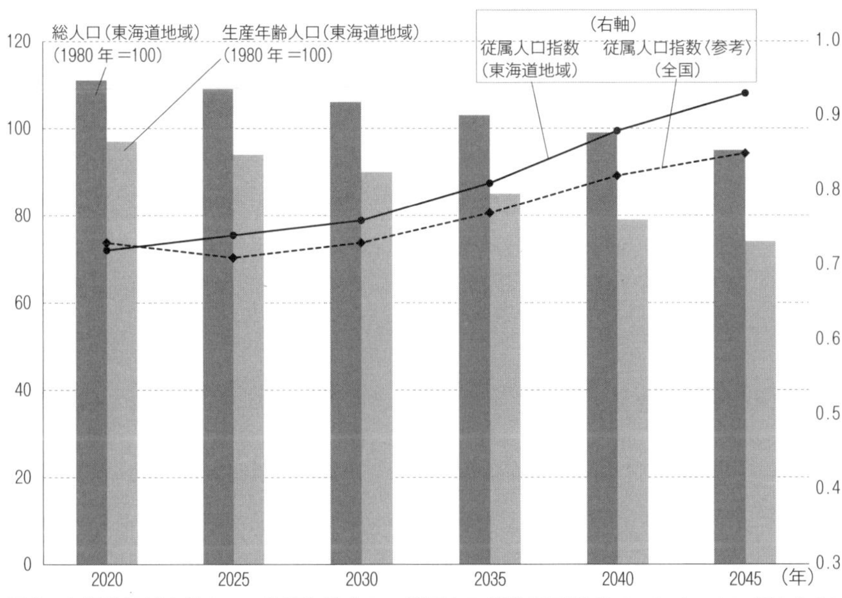

図２　東海道地域の総人口、生産年齢人口、従属人口指数の予測（出典：「日本の地域別将来推計人口（平成 30（2018）年推計」（国立社会保障・人口問題研究所）より作成）

オーナス地域へと急速に移行していく。

[2] デジタルノマドの居住地選好と新東海地域の地域特性

定住人口に関する新東海地域の厳しい現実を踏まえると、これまでの延長線上にはない新たな発想に立った関係人口の拡大・深化が地域の課題として浮かび上がってくる。その意味で、世界のデジタルノマドを関係人口ととらえ、地域の活性化に繋げる新たな取り組みが検討されてもよい時期にあると考える。

2節 **[2]** で示したデジタルノマドの居住地選好と新東海地域の地域特性の関係を見ると、就労、居住、交流それぞれの環境で、新東海地域は以下のような優れた地域特性を持っていると考えられる。

○デジタル技術を駆使して働くことができる就労環境

Wi-Fiが自由に使えるなど優れたインターネット環境は、デジタルノマドが地域に求める重要な要素である。かつては東京などの大都市圏と地方圏の間には、情報通信インフラの地域格差がかなり存在していたが、地方圏における整備が急速に進み、格差は小さくなってきている。新東海地域でも地方公共団体を中心にWi-Fiスポットの拡充などの整備が進められ、そのインターネット環境は我が国の地域の中でも高い水準にあると見られる[注4]。

○高次都市機能とローカルな魅力ある居住環境の適切なバランス

新東海地域は東京・名古屋・大阪を結ぶ国土軸上に位置し、こうした大都市が持つ交流やエンタテイメントに関する高次都市機能へのアクセス性に優れた地域である。同時に、域内には自然や文化などに関する魅力あるローカルな地域資源が豊富に存在し、気候も温暖で、東京などと比べ物価も安いなどデジタルノマドの居住地選好に適った魅力をバランスよく有する地域である。

○多様で異質な人々と関わることができる交流の土壌

新東海地域は、歴史的に、様々な地域や人々の交流の舞台となってきた。

律令時代に「五畿七道」の一つとして近畿と東国を結ぶ国土軸として整備されたのを始まりに、古くから常に我が国の枢要な国土軸を形成してきた。鎌倉時代には、幕府が置かれた鎌倉と京都を中心とした近畿を結ぶ重要な軸として東海道の整備が進められ、さらに、江戸時代になると、鎌倉時代以降の整備を基礎にして、軸上に配置された諸機能を使いながら幕府の統治の仕組みを戦略的に整えていく場となる。こうした整備の過程を経て、この地域では、地域内外の様々な人々、物資、情報が、官民を問わず行き交い、多様な交流が軸上に展開されるようになった。歌川広重が描いた浮世絵「東海道五十三次」や十返舎一九の代表作「東海道中膝栗毛」などでも、宿場を中心に、人々、物資、情報が活き活きと行き交っている様子が描かれており、こうした歴史的蓄積は、地域の交流DNAとして受け継がれてきているはずである。

4 デジタルノマドを活かした新東海地域の活性化

[1] デジタルノマドを地域の活性化に活かすプロセス

1 デジタルノマドの地域への誘致

新東海地域において、デジタルノマドを地域に呼び込むためには、その居住地選好に応じて、様々な地域環境を整えていく必要があるが、特に、これからポイントとなるのがリニア中央新幹線開業後の東海道新幹線の活用である。現在の東海道新幹線は、鉄道による旅客輸送の基軸を担い、輸送量も増加傾向にあるが、列車種別では、この地域の各駅を通過する「のぞみ」の割合が年々増加している（図3参照）。こうしたことから、現在の東海道新幹線は、東海道地域を素通りする交通軸としての性格が強まり、江戸時代のようなこの地域での多彩な交流を支える、という機能は弱くなっているように見える。

しかし、リニア中央新幹線の開業で、素通りの需要の多くがリニア中央新幹線に移ることにより、現在の東海道新幹線にはその分の空き容量が生まれることが見込まれる。この変化を活かし、東京や名古屋などへの移動や新東海地域内の移動がより早く便利になる状況をつくり出すことが可能となる。このことは、地域の活性化全体にとっても重要な変化であるが、デジタルノマドの居住地選好にもプラスに作用するものであり、その誘致を前進させるものとなることが期待される。

2 関係人口としてのデジタルノマドの活動

地域に移り住んだデジタルノマドが関係人口として地域の人々と交流し、地域活性化に寄与する状況を生み出すためには、その活動が自らの暮らし方、働

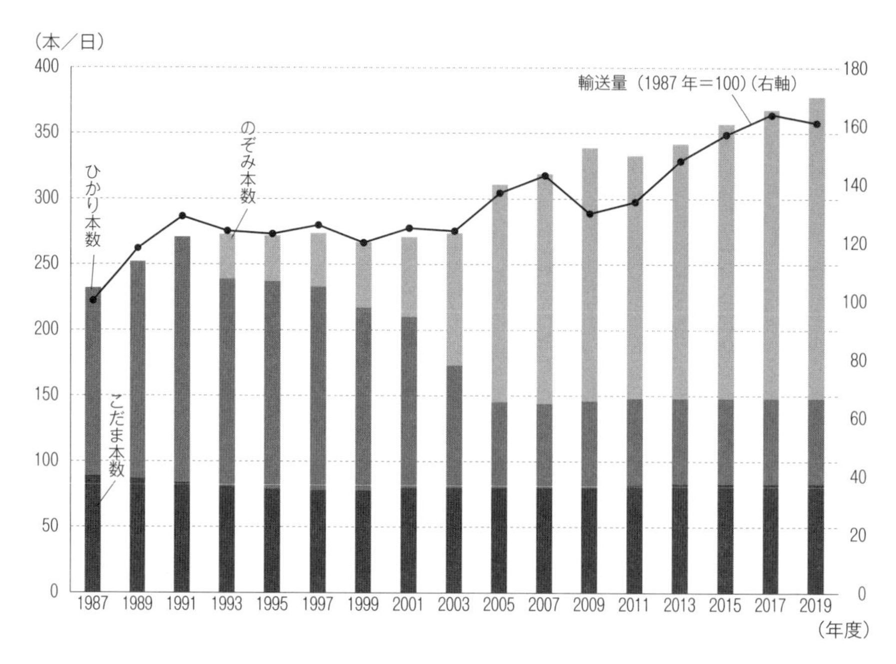

図3　東海道新幹線の運転本数と輸送量の推移（出典：「東海旅客輸送㈱統合報告書 2021」を基に作成」）

き方をより豊かなものにする、とデジタルノマドが実感できるような状況をつくり出すことが求められる。

既に述べたように、地域に移り住み、関係人口として地域と関わった後、地域を去っていったこれまでの人々は、元々、その地域に縁と思いがあり、地域活性化に貢献したい、という意識を持って移り住んだ人々が多いと思われるが、デジタルノマドについては、地域活性化の取り組みに関わろうという気持ちを持って移り住んでくる人々は多くはないと考えられる。その意味で、地域とはドライな関係から始まると考えられるが、いわゆる転勤族とは異なり、自らの意思でその地域への居住を選択した人々であり、きっかけがあれば、関係人口として地域に関わっていく可能性を持った人々とも言える。

そのきっかけとしてデジタルノマドが持つITや語学に関する高い能力の活用が考えられる。新東海地域にとって、地域に住む人々のITリテラシーの向上や国際感覚の醸成は、スマートリージョンを形成する上での大きな課題となっている。一方で、デジタルノマドにとっても、持っている能力が、地域の人々の役に立つという状況は、自らの暮らし方、働き方をより豊かにすることにつながる可能性を持つ。例えば、地域のお年寄りや子ども達が、隣に移り住んできたデジタルノマドの若者に、英語も交えながら対面でパソコンの使い方を教わる、というような交流が生まれれば、そこから関係人口としてのデジタルノマドと地域との関わりが拡がっていくことが期待される。

3 デジタルノマドと地域との持続的な関わり

新東海地域に居住した後、地域を去ったデジタルノマドが、引き続き関係人口として地域と関わり、活動を継続することに過大な期待は持てないだろう。しかし、デジタルノマドのコミュニティでは、「場所」に関する情報が常時濃密に行き交っている。デジタルノマドの情報ネットワークは地球規模で張り巡らされており、例えば「豊橋は暮らしやすいよ」というような情報が発信されれば、その情報は瞬く間に世界へ拡散していくこととなる。このことにより、新たなデジタルノマドが次々に訪れ、まさにデジタルノマドが行き交う地域となっていく。その実現のため、新東海地域は、何時でもデジタルノマドのコミュニティとコミュニケーションがとれる地域であることが期待される。

[2] 柔軟で開かれた関係をめざして

デジタルノマドは、地域の人々とは質の異なるライフスタイルを持つ人々と言える。その意味で、お互いの個性を尊重し、異質なものを排除しない、という意識が欠かせない。また、デジタルノマドは、デジタル技術の進歩にあわせて暮らし方、働き方を変えていく人々である。そうした変化を受け止めながら関係を継続していく柔軟さも大切である。

こうした意識や柔軟さは、地域の人々だけでなく、地域で活動する他の関係人口の人々やデジタルノマドにも必要なものであり、その中からお互いにとって望ましい調和が生まれることになる。このような調和を生み出す地域の風土とでも言うべきものが大切なのだが、新東海地域には、長い歴史の中で育まれてきた柔軟で開かれた風土が脈々と受け継がれてきているように思われる。

5 今後に向けて

我が国では、今のところデジタルノマドを対象としたビザは導入されておらず、一般にその存在が意識されることもまだ少ない状況にある。しかし、世界の潮流を見ると、デジタル化とグローバル化が一層進展する中、デジタルノマドは爆発的に増え、地域の活性化に大きな影響を与える存在となっていくことは確実な状況にある。本稿では、こうした状況を踏まえ、デジタルノマドの居住地選好に適った地域特性を持つと考えられる新東海地域において、世界のデジタルノマドを関係人口ととらえ、地域の活性化に繋げていく取り組みを先駆的に進めていく可能性と道筋を検討した。その具体化に当たっては、これまで各地域で成果を挙げてきた関係人口の拡大・深化の取り組みとは、また異なるアプローチが必要であり、そこに地域の創意・工夫が求められることになろう。

今後、世界のデジタルノマドの活動や我が国のビザを巡る動向などを見据えながら、地域の関係者の協力の下、まずは、国内でワーケーションを実践している人々やデジタルノマドを志向する人々との交流を深めるとともに、世界のデジタルノマドのコミュニティとつながるための取り組みを始めることが重要と考える。

新東海地域が、こうした取り組みを通じ、地域活性化の新たな地平を切り開き、我が国の地域づくりをリードする場となることを期待する。

注

1 田中輝美氏はこうした人々を「風の人」と呼んでいる。

2 『世界を旅するデジタルノマドの誘致可能性を考える』(勝野裕子 JTB 総合研究所主任研究員)によれば、アメリカの A Brother Abroad 社の推計では約 3,500 万人とされている。ただし、こうした推計数字は、国内を動き回っている人々や一時的にそうしたライフスタイルをとった人々も含まれる、との指摘もある。

3 Nomads 編集部がまとめた「デジタルノマド・ビザは地域活性化の成長に貢献するのか」(2022 年)では、46 の国と地域が掲載されている。

4 野村総合研究所が開発した都道府県のデジタル度を評価する指標によれば、2021 年時点で、情報通信インフラの整備度などを示すコネクティビティ指数は、47 都道府県中、愛知県が 4 位、静岡県が 10 位である。

参考文献

有元美津世 (2022)「激化するデジタルノマド誘致合戦――ノマドの選択肢は拡大」(Daijob.com グロ

ーバル転職 NAVI 2022.10.4）
伊藤富雄（2022）「世界のワーケーションは次のフェーズに入っている　来てほしいのはデジタルノマド」（WORK MILL 2022.8.9）
勝野裕子（2022）「世界を旅するデジタルノマドの誘致可能性を考える」（JTB 総合研究所コラム）
国土交通省（2021）『ライフスタイルの多様化と関係人口に関する懇談会 最終とりまとめ』
田中敦（2021）「「日本型ワーケーション」の可能性と課題　ワーケーションのすすめ（前編）」（JR 東日本社外広報誌『and E』2021.2.4）
田中輝美（2021）『関係人口の社会学　人口減少時代の地域再生』（大阪大学出版会）
松下慶太（2020）「デジタル・ノマドの分類とワーケーション」（note 2020.7.22）
森健（2021）「DCI にみる都道府県別デジタル度」（野村総合研究所レポート 2021.11.22）
Nomad 編集部（2022）「デジタルノマド・ビザは地域活性化の成長に貢献するのか」（https://www.nomadsnews/local-digitalnomadvisa 2022.5.28）
Prithwiraj Choudhury（2022）「「デジタルノマド」のためのビザが地域経済を活性化させる」（*Harvard Business Review,* 2022.7.20）

スマート産業の展開

地域企業からのスピンアウトによるDX関連産業の創出

加藤勝敏

起業家精神

静岡県遠州地域は、江戸時代以降、大きな権力がなく、よそものを排除しない自由さ、民が強い独立の気概を持っていたとされている。そのような土地柄ゆえに、金原明善、豊田佐吉（トヨタ創業者）、本田宗一郎（ホンダ創業者）、鈴木道夫（スズキ創業者）や、域外からの山葉寅楠（ヤマハ創業者）などの様々な起業家が生まれ育ってきた。1980年に出版された『浜松商法の発想』（梶原一明著）で

表1　金原明善が設立もしくは経営に関わった機関

会社・事業名	設立年	事業内容
天竜川通堤防会社（治河協力社）	1874	天竜の築堤・治水
静岡勧善会（静岡県勧善会）	1880	更生保護事業
合本興業社（天龍木材㈱）	1881	製材業
浜名社	1881	浜名湖架橋事業
遠州興農社（後に解散）	1882	農業振興・牛馬奨励
瀬尻植林事業	1886	林相改良
東里為換店（金原銀行）	1886 経営移管	銀行業
井筒油店（井筒ポマード）	1887 経営移管	灯油・髪油販売
中屋商店	1887 経営移管	文房具・印刷製本
丸屋差物店	1887 経営移管	西洋家具販売
天竜運輸会社（日通天竜川支店）	1892	運輸業
金原農場	1896	農場開拓
金原疏水財団（金原治山治水財団）	1904	天竜川の三方原分流
天龍鉄鋼合資会社（天龍製鋸㈱）	1909	製材所で利用された丸鋸の修理・改造

（出典：鈴木要太郎（1979）『金原明善――その足跡と郷土――』社団法人浜松史跡調査顕彰会、pp.88-89に加筆修正して筆者作成）

使われ広がったとされる「やらまいか精神」は、「あばれ天竜」と言われた天竜川の度重なる洪水に悩まされ、江戸時代は強力な領主が不在で、お上の力が弱く、人と情報の交流が盛んだったことによって形成されたと言えるかも知れない[注1]。

こうした起業家が生まれた経緯を明治時代から遡ってみてみる。

明治時代の起業家では、金原明善が挙げられる。一般的に金原明善は、国家社会公共のための事業活動家として、「あばれ天竜」の異名で地域住民を苦しめていた天竜川を治めるために全財産を投じて堤防の改修工事を始めたり、洪水の原因となる上流の山で大規模な植林事業を行ったことで有名であるが、事業を進めるために様々な企業の設立（表1）や支援を行っており、特に製材業がその後の織機、楽器産業へと展開していくこととなる。

中核企業の創業

明治時代には、遠州の中核となっていく企業が次々と創業した。織機産業では、1879年に行われた官営模範工場の払い下げによって、遠州紡績㈱が設立され、織物が盛んになるに連れて、新しい織機が開発された。豊田左吉による「豊田式木製人力織機」（1890年）を契機に、（動）力織機による開発が進み、「鈴木式織機」（現、スズキ㈱）、「鈴政式織機」（現、エンシュウ㈱）等の技術開発をベースとした企業が生まれ、輸送用機械メーカー、工作機械メーカーに発展していくこととなる。

製材業では、金原明善による天龍木材㈱の成功を契機に、木工機械の製造ニーズが高まり、庄田鉄工所（1926年）が設立され、そこからスピンアウトする形で㈱平安鉄工所（現、㈱平安コーポレーション）（1939年）が創業した。

楽器産業においては、ヤマハ㈱の創業者山葉寅楠は、和歌山県出身で、オルガン修理から始まってピアノ製造、家具、楽器、音楽産業等へと発展させ、そこから派生する形で㈱河合楽器製作所（1927年）、ヤマハ発動機㈱（1955年）が生まれることとなる。特にヤマハ発動機の設立では、戦時中、航空機用の金属プロペラの製造を行うために仕入れた大量の金属加工機械の利活用が契機となっており、ピアノのフレームに精密鋳物を使っていたことも寄与している。その後、エレクトーン等の電子楽器分野に進出するとともに、楽器に適した専用半導体製造に乗り出すことになる。その他としては、磐田市出身の福長浅雄は日本で初めて国産の旅客機（定員6名）を完成させている。しかし、事業としては継承されなかった。

また、1927年、浜松高等工業学校（現在の静岡大学工学部）の高柳健次郎は日本で初めてテレビジョンの送像に成功し、その教えを受けた堀内平八郎が1953年に浜松テレビ（現、浜松ホトニクス㈱）を光電管の専門メーカーとして創業した。現在は、医療機器分野にも進出している。

戦後は、自転車に補助エンジンを付けて売り出し始めた、本田宗一郎（1946年創業）、1952年からバイクモーターを発売したスズキ㈱、そして1955年に設立のヤマハ発動機㈱など輸送用機械産業へと発展していくことになる。こうしたオートバイメーカーの誕生は、部品の需要を高め、それを引き受けたのが鉄工所であり、多くの鉄工所が生まれることになる。

3 中核企業からのスピンアウト

明治・大正・昭和にかけて、製材 → 織機 → 木工機械・工作機械・自動車の産業の変遷、楽器 → 電子楽器・エレクトロニクス、プロペラ製作 → オートバイの変遷、映像技術 → 光技術の変遷などの過程で、様々な企業が創業し、中核企業へと成長していった。こうした中核企業が、昭和の終わり頃から平成に入ると新たな企業を産み出す母体になっていくことになる。

[1] ヤマハ発動機

日本楽器製造㈱（現、ヤマハ㈱）から、1955（昭和30）年に分離し、オートバイメーカーとして発展するが、1983年に本田技研工業㈱とのオートバイ販売合戦「HY 戦争」によって大幅な赤字を計上し、希望退職者の募集を行った。この退職者から、コンピュータ・システム系を利用したベンチャー企業が続々と起業された。その最初が、㈱アルモニコスである。元々は、ボートの設計に基づいて3次元CADソフトウェアを開発していたが、これをベースに製造支援システム、パッケージソフト等の開発企業が生まれていくことになる。YEC（ヤマハモーターエンジニアリング100％子会社）からも㈱アミック等が起業した。また、アルモニコスが船艇事業部門からのスピンアウト、アミック等は技術電算部門からのスピンアウトというように、特定部門を母体とした起業が特徴であり、こうした動きが浜松地域における受託開発型のソフトウェア業の集積を高めた。これらの多くはいずれもソフトウェア、システム開発に関わる部門からの起業となっている。

最近では、バイクの機械設計（シート開発、構造最適化等）に携わっていた下村明司が、よく転ぶ人のための骨折防止対策床材の開発企業として㈱Magic Shieldsを立ち上げている。既に、広島県で実装化事業を展開しており、日本に留まることなく、世界を市場として見据えており注2、従来の領域とは明らかに異なる新分野での起業になっている。

表2　ヤマハ発動機からのソフトウェア系スピンアウト企業の概要

名称	設立年	事業内容
㈱アルモニコス	1984	3次元CADシステム受託開発等
㈱ミネルバ	1986	設計関連ソフトウェア開発等
㈱スペースクリエーション	1987	治工具・開発用試験機等の設計製作、自動計測システム、振動計測システム等
㈱インテグラ技術研究所	1991	IT導入活動支援
㈱アミック	1992	生産管理・財務等パッケージソフト企画・開発
㈱アルテア	1993	3次元ソフト受託開発
㈱アメリオ	1996	中小企業向け3次元CADソフト開発等
㈱セリオ	1996	高齢者用電動カートの卸売販売
㈱ソフテス	1997	SAP等システム導入コンサルティング
㈱アールテック	1998	医療・医学向け技術開発（医用画像の情報管理等）、3次元CAD・CAEによる製造支援システム
㈱エリジオン	1999	3次元データ変換パッケージソフト
㈱エムシースクウェアド	1999	3次元CAD・CAMによる製造支援システム
㈱プロス	2000	医療品製造業向けERPパッケージ開発等
㈱ソディアック	2003	中小企業向け3次元CADソフト開発
㈱Magic Shields	2019	骨折防止対策床材の開発

（出典：長山宗広（2009）「新しい産業集積の形成メカニズム：浜松地域と札幌地域のソフトウェア集積形成におけるスピンオフ連鎖」『三田学会雑誌』101巻4号、並びに長山宗広（2012）「浜松地域の新しい産業集積と企業家コミュニティ～日本的スピンオフ・ベンチャー創出モデル～」『商工金融』62巻4号を加筆修正して筆者作成）

注：CAD：Computer Aided Design、CAM：Computer Aided Manufacturing、CAE：Computer Aided Engineering

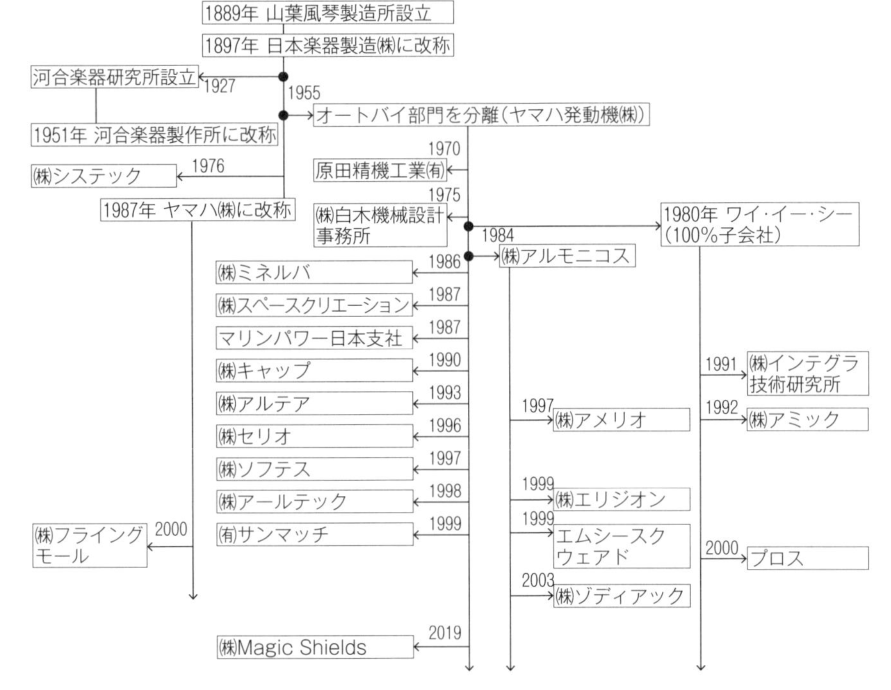

図1　ヤマハ･ヤマハ発動機からのスピンアウト連鎖図（主にソフトウェア）（出典：表2と同じ）

このように、ヤマハ㈱は、オルガン、ピアノ、ボート、電子音楽楽器、半導体などの製造分野に進出し、そこから分離したヤマハ発動機㈱からは設計技術等に基づいた新たなソフトウェア企業（DX関連企業）の創出に大きな効果を発揮しており、浜松地域における電子・電気産業、ソフトウェア産業の源として、ヤマハが果たした役割は非常に大きいと言える（表2、図1）。

［2］浜松ホトニクス

戦後、高柳健次郎の弟子である堀内平八郎が、東海電子研究所を設立し、1953年に光電管事業を展開するための浜松テレビ㈱を創設したことが、浜松ホトニクス㈱の起源である。

浜松ホトニクスからの起業は、1990年代から加速されることとなった。その源はシステム事業部であり、光機器・装置分野等を中心に起業が進むことになる。長山[注3]によると、ヤマハ発動機（船艇事業部）、浜松ホトニクス（システム事業部）のどちらも起業の中心となったのはプロダクト・イノベーションを創出する研究開発部門であり、階層的な管理コントロールから開放され、多様な事業や製品、幅広い研究開発テーマに取り組んでいたことが特徴であると述べている。

2000年以降の起業は、それ以前とは異なっている。浜松ホトニクスは、2005年に光産業創成大学院大学を設立する。この大学は、「新産業創成を自ら実践しうる人材養成」を目的に、光技術に注目し、起業実践を教育手段とすることを掲げて発足した。既に、同大学からは30社を越えるベンチャー企業が生まれており、その分野は多岐にわたっている。例えば、パイフォトニクス㈱は、高輝度のLED光源技術を活用した鳥や獣を追い払う照明、㈱オプトメカトロは近赤外分光による魚の脂肪分分析、㈱ホトアグリ注4は光による害虫駆除、

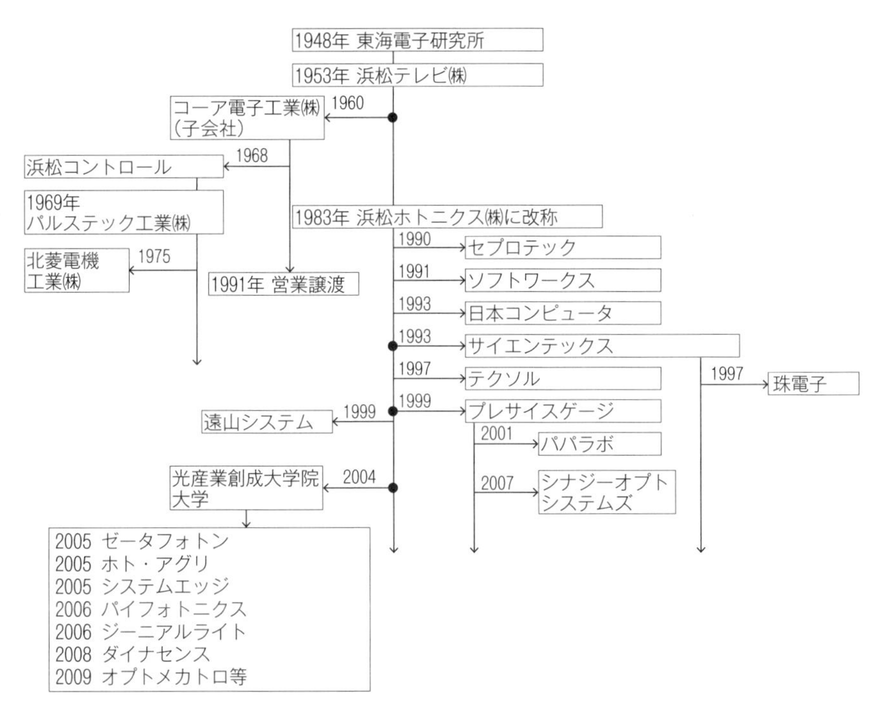

図2 浜松ホトニクス・光産業創成大学院大学からのスピンアウト連鎖図

（出典：長山宗広（2012）「浜松地域の新しい産業集積と企業家コミュニティ～日本的スピンオフ・ベンチャー創出モデル～」『商工金融』62巻4号、浜松商工会議所（2012）『遠州機械金属工業発展史2』浜松商工会議所、浜松ホトニクスHP等をもとに加筆修正して筆者作成）

㈱ダイナセンスはヘモグロビン濃度測定小型装置など、光技術を活用しながら農林漁業や、健康分野などへの展開が進んでいる。

また、2017年にはベンチャー支援の一環として、コーポレート・ベンチャー・キャピタル（自己資金等でファンドを組成し、ベンチャー企業に出資を行う機能）を設立[注5]するとともに、翌年には「誰でも自らのビジネスアイデアを応募し、光産業創成大学院大学で、経営知識を実践的に学ぶことができる」社内ベンチャー制度を設けるなど、起業化を促進している。2020年からは、光技術を活用したビジネスコンテストとして「フォトニクスチャレンジ　2020」を開始し、起業支援を継続的に実施してきている。こうした仕組みを構築して起業支援を

表3　浜松ホトニクスからスピンアウト企業の例

名称	設立	事業内容
㈱セプロテック	1990	電子応用機器の設計・製造販売
ソフトワークス㈱	1991	コンピュータソフトウェアの開発・製造販売
㈱日本コンピュータ	1993	情報家電・マルチメディア製品の開発・製造販売
㈱サイエンテックス	1993	計測機器の開発・製造販売
珠電子㈱	1997	半導体レーザー駆動用電源の設計・製造販売
㈱テクソル	1997	計測機器・電子管の輸出入販売
プレサイスゲージ㈱	1999	光部品調芯実装装置等の製造販売
㈱パパラボ	2001	画像計測装置の設計・製造販売等
㈱ TAK システムイニシアティブ	2007	画像計測装置の開発
シナジーオプトシステムズ㈱	2007	光計測用高機能光学機器・光計測検査システム

（出典：図2と同じ）

表4　光産業創成大学院大学からの起業の例

名称	設立	事業内容
㈱ホト・アグリ	2005	光で虫を誘引する害虫駆除装置
パイフォトニクス㈱	2006	高輝度 LED 光源を活用した商品開発
ジーニアルライト㈱	2006	微弱光検出技術による生体センサー
㈱ナノプロセス	2007	レーザー受託加工
ナノ・ミール㈱	2008	リチウムイオン電池の小型化・大容量化技術
㈱ダイナセンス	2008	ヘモグロビン濃度測定小型装置
㈱分光応用技術研究所	2009	ハイパースペクトルカメラ等の開発
オプトメカトロ	2009	近赤外分光による成分分析（魚の脂肪分等）
D-Laser	2010	レーザーを使った調理器具
GEE ㈱	2016	照明シミュレーションソフトと光計測の融合
サイエンスデイズ㈱	2012	子供向け科学の実験教室
㈱里灯都	2017	林業の研究開発企画

（出典：図2と同じ）

進めてきているが、これまでのところでは未だ、浜松ホトニクス出身者による起業が多くなっているということである。

このように浜松ホトニクスからの起業（光産業創成大学院大学を含む）は、1990年代から2000年以降も継続的に続いており、特に2005年以降は、光産業創成大学院大学発のベンチャー企業による起業が多くなっているのが特徴である（図2、表3～4）。

4 その他地域におけるスピンアウト企業

[1] 遠州地域におけるその他のスピンアウト企業

ソフトウェア・システム産業ではないが、遠州地域の産業振興の発展過程において、機械産業の果たした役割は大きい。そのはじめは、1912年に創業した鉄道院中部鉄道管理局浜松工場である。この工場の誘致により、全国から技術者、職人が集められ、機関車の修理・保全から組立、そして工作機械開発に展開していくことになった。

庄田鉄工㈱の創業者[注6]は、鉄道院浜松工場へ転勤後、1926年に木工機械の製造業を興し、戦後は工作機械等を製造していくことになる。庄田鉄工に勤めていた鈴木専平は、1939年に独立して㈱平安鉄工所（現、㈱平安コーポレーション）を創業し、航空発動機部品の製造を行っていたが、戦後は、庄田鉄工と同様の工作機械分野に進出し、両者とも日本を代表するメーカーへと成長している。このケースでは、誘致工場がベースとなって、人材が集積し、そこからスピンアウトする形態で新しい企業が生まれている。

こうした誘致企業から育った例や、ヤマハ（ヤマハ発動機を含む）、浜松ホトニクスを除くと、地場企業として成長した企業からのスピンアウトによる起業は非常に少ない。例えば、1959年創業のオーム電機㈱は、本田技研・浜松製作所に勤めていた戸塚忠男が家庭の事情で退社し、父親が創業した個人企業を引き継いだことが経緯であり、地域の自動車産業の中心であるスズキ㈱、本田技研工業㈱からのスピンアウト企業は殆どみられない。日本政策投資銀行東海支店の資料では、トヨタ自動車におけるスピンアウト企業について言及しているが、社内ベンチャー、グループサプライヤーの間でもスピンアウト企業は殆どなく、社内ベンチャーが幾つかある程度である[注7]。スピンアウトが少ないのは、ソフトウェア・システム開発に関わる部署における取扱事業領域や、組織のマネージメント方法等の影響等と思われる。また、企業からのスピンアウトでなく分社化で事業領域の裾野を広げたり、産業特有の性格などが影響したとも考えられ、これらの点は今後の研究課題としたい。

[2] 東三河地域におけるスピンアウト企業

東三河地域では、遠州のヤマハ㈱、浜松ホトニクス㈱のようなスピンアウトのコアになるような企業は見あたらない。敢えて挙げるとすれば、㈱金陵[注8]がある。金陵は、1946年に食糧増産を図るため、軍事用の電気製品を農業で活かせるように転用し、金陵電機として創業したのが始まりであり、1961年には自動制御盤の製作部を設置し、いち早く自動化に対応したシステムの導入を進めた。その後、金陵エンジニアリング、明宏工事、テクニカサービスなど川下から川上まで段階的に専門会社を設立するとともに、スピンアウト企業[注9]も輩出してきた。

1946年、大手繊維商社で光学装置も扱う興和㈱（当時、興服産業㈱）の光学部門が蒲郡市に立地した。そのレンズ技術者であった小澤秀雄は、1971年に㈱ニデックを創業した。その後、ニデックは、名古屋大学大学院教授の上田氏による人間の表皮を自家培養する技術の実用化を図るため、INAX、富山化学工業等と共同出資してJ・TEC（㈱ジャパン・ティッシュ・エンジニアリング）を設立している。このケースは社内ベンチャー的に起業しているとも言える。

最近の事例では、自動車・汎用機器等部品の製造販売事業で、創業から80年の歴史を刻んできた武蔵精密工業㈱が、社内公募型スタートアッププロジェクトによって、2020年、農業用求人システムの運用・開発会社として、㈱アグリトリオを設立している。

このように東三河地域では、大企業・中堅企業からのスピンアウトは殆ど見られず、分社化や他社との合弁形態によって新事業、新分野への展開が進むケースが多い。

5 地域から新たなDX産業を生み出す仕組み

[1] 大企業・中堅企業からのスピンアウトによる企業創出の限界

これまでの分析結果からも明らかなように、大企業・中堅企業からのスピンアウトによる企業創出は、遠州地域の一部企業（ヤマハ、浜松ホトニクス）で見られたものの、新東海地域（三遠南信地域及び静岡市を中心とした地域）の中心産業である自動車産業では殆ど見られておらず、一部企業による社内ベンチャー形態で生み出されるケースがあるだけである。このことは、企業からのスピンアウトによるDX関連産業の創出が非常に難しいことを物語っている。

このため、社内ベンチャーの仕組みを充実させる等、会社のマネージメント管理体系を変革させていくことが重要であろう。

[2] ビジネスコンテストやコンソーシアムによるベンチャー創出

新東海地域では、様々な地域でビジネスコンテスト形式による事業創出の取り組みが進んでいる。

遠州地域では、地元浜松磐田信用金庫が「CHALLENGE GATE」と呼ばれるビジネスコンテストを2019年から行っており、本稿で紹介したアグリトリオ㈱や㈱Magic Shieldsが入賞している。また、光産業創成大学院大学では、光技術を応用した新ビジネス創出に取り組む人材発掘コンテスト「フォトニクスチャレンジ」を2020年から開始している。全国から応募者を募っており、「2023」は光スイッチタンパク質技術の活用、スマホで服装・流通管理ができるナノタグ、3Dデジタル医療画像による低侵襲治療支援システム等が入賞している。

東三河地域では、東三河スタートアップ推進協議会や、武蔵精密工業㈱のイノベーション・ラボ等が支援し、スタートアップ企業の創出をめざしている。また、2001年から継続的にスモールビジネスの創出をめざした活動として、東三河ビジネスプランコンテスト（現在の事務局は㈱サイエンス・クリエイト）が開催され（図3）、2001～2009年にかけて累計508件（年平均56件）のビジネスプラン案件が提案され、178件が事業化されている注10。2010～2018年では年平均

図3　東三河ビジネスコンテストの表彰式の模様（写真：㈱サイエンス・クリエイトより提供）

44件（アイディア部門も含む）と減少したが、2019～2022年では専門学校から「スマホのソフトづくり」に関わる案件が数多く出され、年平均134件と急激に増加している。具体的な案件としては、2022年では「傾斜地向けドローン農薬散布サービス」「飼料高騰対策に対応したクラウド型養豚管理システム」、2021年では「AIによる不良品検査の課題を解決：光学技術を応用した撮像技術の提供」、2020年では「農福連携WEBマッチングサービス「農Care」」、2019年では「ビニールハウス向けクラウド環境制御サービス」等、DXを活用した様々なビジネスプランが提案されるなど、DXに関わる新たな事業創出の機会としても活用されるようになっている。さらに、豊川市・新城市が連携してドローン・エアモビリティを進めている「東三河ドローン・リバー構想推進協議会」では、ドローンを利用した物流実証実験、ダム点検や港湾施設の定期点検の実証実験、農業・林業のセンシング等が行われている。

静岡市を中心とした地域（静岡中部）では、静岡県全県を対象とした「環境ビジネスコンテスト」（静岡県SDGsビジネスアワード）が開催されており、2022では「特殊なLED光を用いた鳥獣対策」「光触媒で腐らせない技術」などが採択されている。静岡県TECH BEAT Shizuokaの2022年では、課題解決実証事業として、「静岡県立中央図書館のデジタル化」「浄水場における残留塩素に対する薬剤注入率のAI化」「廃棄物投棄懸念現場の24時間遠隔監視」「埋設水道管の3次元点群データ化による位置情報の把握」等が進められている。また、静岡市の「静岡型MaaS基幹事業実証プロジェクト」ではAI乗合タクシー等の実証実験が進められている。

南信州地域では、「飯田市起業家ビジネスプランコンペティション」が行われており、2021年では「DXで不動産格差を解消する価格査定サイト」が採択されている。また、長野県内全域を対象とした「信州ベンチャーコンテスト」も開催されており、新たな事業創出の支援が進められている。さらに、自治体主導であるが、診療や介護に必要な情報の閲覧共有システム（飯田下伊那診療情報連携システム）、所蔵資料の共有化等の図書館ネットワーク、医療器機を搭載した専用車両の運行（INAヘルスモビリティ）、AIを活用した乗合タクシー「ぐるっとタクシー」、ドローンによる買物支援（ふれあいマーケット）などが行われている。

[3] 自動車関連企業を活かした広域連携

新東海地域では、遠州地域の特定企業を除き、スピンアウトによるDX関連の企業創出は進んでいない。また、DX関連のスピンアウトは、必ずしも企業規模に依存している訳でなく、地域の中心的産業である自動車産業から生まれている訳でもない。新東海地域は、自動車産業の一大集積地であり、EV化が進むことによる企業経営への影響が懸念される地域でもあるが、これまでの分析から、自動車関連企業自らがDX関連事業を創出していくことは、厳しい状況が伺えた。

一方、近年、東三河の大手の自動車部品メーカーである武蔵精密工業㈱は、地域からイノベーションを興していくための新しい組織として「CLUE」を立ち上げ、地元企業や自治体と連携しながら、起業などの専門家を交えた新しいコミュニティをつくった活動を展開してきており、新たな事業や起業の可能性が高まってきていると言える。

新東海地域で展開している各種のビジネスコンテストでは、着実にDXに関わる案件が増えており、そこではソフトウェア・システム開発に関わる分野だけでなく、機械装置に関わる分野も出てきている。このため、こうしたビジネスコンテストのビジネス案件を実現していく中で、地元の自動車関連企業（特に中小企業）や機械金属系企業等が交流したり、相談しあう機会を設け、地域企業のDX関連領域への誘導を進めていくことが重要になっていくと考えられる。

同時に、こうした取り組みをより広域的に相互情報交換できる仕組みをつくり、地域企業のDX関連領域への推進を図るため、各地域で開催されたコンテストで提案されたビジネス案件の情報共有化が図れる仕組みとして、新東海地域DX関連事業プラットフォームを構築し、ビジネス案件に対して地域企業が支援、協力できるよう、広域的な官民による連携の枠組みづくりを進めていくことが必要であろう。

注

1 一般財団法人金原治山治水財団HP https://wm-meizen.jp/about/（2023年5月10日）
2 2021年11月1日㈱Magic Shieldsヒアリング調査
3 長山宗広（2012）
4 ホトアグリは、起業後、2017年に浜松ホトニクスの100%子会社となり、2021年からは特例子会社（㈱浜松ホトアグリ）としてリッチリーフなどの葉物野菜を栽培している。
5 2022年スズキ㈱は、CVCとして米国シリコンバレーを本拠とする「スズキグローバルベンチャーズ」を設立。
6 庄田和作は石川県出身。
7 ㈱カーテックフジ（ブレーキ認証試験請負等、1996年設立）、㈱バイク・ラボ（自転車研究開発、2001年設立）、㈱メディア・クリック（オンディマンド音楽生活情報サービス、2001年）等。（日本政策投資銀行東海支店（2003））
8 2002年に金陵は自己破産した。
9 豊橋市の㈲ネクストシステムや、浜松市のエクト等がある。
10 加藤勝敏（2014）

引用・参考文献

伊藤正憲（2001）「浜松の企業と風土の研究（その1）」『現代社会研究』京都女子大学、pp.93-106
太田耕史郎（2014）「浜松――地場産業発展の要因――」『経済科学研究』17（2）、広島修道大学ひろしま未来協働センター、pp.81-103
加藤勝敏（2014）「わが国の地域資源活用型産業振興施策台頭下における産業支援機能の整備条件に関する研究」（大阪工業大学博士論文）
梶原一明（1980）『浜松商法の発想』講談社
鈴木要太郎（1979）『金原明善――その足跡と郷土――』社団法人浜松史跡調査顕彰会
長山宗広（2009）「新しい産業集積の形成メカニズム：浜松地域と札幌地域のソフトウェア集積形成におけるスピンオフ連鎖」『三田学会雑誌』101巻4号
長山宗広（2012）「浜松地域の新しい産業集積と企業家コミュニティ～日本的スピンオフ・ベンチャー創出モデル～」『商工金融』2012年4月号
日本政策投資銀行東海支店（2003）「愛知県における自動車産業クラスターの現状と発展可能性」『DBJ Tokai Report』Vol.2

浜松商工会議所（2012）『遠州機械金属工業発展史 2』浜松商工会議所
藤田泰正（2011）「産業集積と技術形成：浜松地域における戦前期の産業用機械を中心として」『名古屋学院大学論集（社会科学篇）』（2011.3.31）、pp.163-187

物流分野のスマート化
―― 新東海地域の現状と展望

髙橋大輔

本稿は、物流を取り巻く社会環境や課題を概観し、三遠地域における物流スマート化について具体的な取り組みや今後の展開を紹介し、社会実装に向けた期待について述べることとしたい。

1 物流の様相変化

2020年からの新型コロナウイルス感染症拡大（以下コロナ禍）は都市のロックダウンをもたらし、工場停止、部品供給寸断、輸送停滞、顧客納品遅延、移動制限による労働力不足など、世界各地の物流に影響を生じさせた。

2021年以降は移動制限が徐々に緩和されてきたことで、経済活動や物流にも回復がみられてきている。日本貿易振興機構の調査[注1]によると、直近2021年の世界全体の貿易額（財貿易、名目輸出額ベース）は、2020年比で26％増の21兆7534億ドルとなり、また貿易総量（輸出ベース）も前年比9％増というように世界貿易の規模は拡大している。

国内の物流に目を転じると、コロナ禍による経済停滞の影響により企業間物流については一時的に取扱貨物量が減少したが、宅配便などの個人物流の需要は通信販売等の拡大により増加傾向が続いている。経済産業省の調査[注2]では、物販系分野のBtoC市場規模は2013年時点で5.9兆円であったものが2021年には13.2兆円へと拡大し、そのうち電子商取引の割合は、3.85％から8.78％と続伸している。

他方で、2015年にパリ協定が採択されて以降、「2050年カーボンニュートラル」の長期目標のもと、脱炭素社会の実現に向けた取り組みが世界的に進行している。我が国は「2030年度の温室効果ガス排出量を2013年度比で46％削減する」というカーボンニュートラル宣言を行った。国土交通省の統計[注3]によると、我が国の産業別CO_2排出量のうち運輸部門からの排出量は、2020年に1億8500万トンで、これは日本の排出総量の約18％を占める。運輸部門の脱炭素化はカーボンニュートラルの目標達成に欠かせないものであり、物流業界の取り組みへの期待は大きい。

一方で物流の課題は山積している。労働力不足問題では、特にトラックドライバーの人材不足を強調する報道が目立ってきている。日本ロジスティクスシステム協会の調査[注4]をみると、我が国において道路貨物運送業の運転従事者数は、1995年の98.0万人をピークに減少を続け2015年には76.7万人となり、この20年間で21.3万人減少している。全日本トラック協会が行った調査[注5]によると、トラックドライバーが不足していると感じている企業の割合は約64％を占めており、労働環境（労動時間や業務負荷等）の厳しさから、人材確保は容易ではないと指摘されている。物流業界における慢性的なトライバー不足によって更なる輸送量の減少が懸念される。その解決には、物流業務の効率化や生産性の向上が不可欠であり、デジタル技術の活用によって人の手に頼る物流業務の業務形態を改善・変革していくことが求められている。

このように、物流分野は、国際サプライチェーンの強靭化への要請の高まりやデジタル化の加速、脱炭素化の動きの加速への対応に加え、国内においては、労働力不足やコロナ禍で生じた社会・経済環境の変化等に対して、デジタル技術の進化を取り入れながら対応していくことが求められている。

2 三遠地域の企業活動と物流動向

[1] 企業集積、産業活動状況

1 東海エリアの経済活動状況

愛知県、静岡県の製造業の活動状況について2021年の経済センサス[注6]から確認する。愛知県の製造品出荷額は43兆9879億円、静岡県は同じく16兆4512億円で2県合計は60兆円を越え日本全体の2割を占める。さらに産業中分類で確認すると、「輸送用機械器具製造業」の出荷額が最も多く、愛知県は23兆3623億円、静岡県は3兆9783億円で2県の出荷額は27兆3407億円となり全国のほぼ半数となる45％を占める。企業立地についても輸送用機械産業の事業所は愛知県に1678か所、静岡県に959か所あり、全国の約3割がこの2県に集積している。

これらのことから、愛知・静岡エリアは製造業等の企業が多数立地し、生産活動に関連する多くの物資の流動にこの地域が関係していることが読み取れる。

② 東海エリアの貨物流動の動き

国土交通省の物流センサス[注7]からこの地域の貨物の動きを確認する。全国の貨物純流動量（2020年度の年間出荷量）は23億2千万トンであった。2015年の前回調査（2014年度の年間出荷量：25億3千万トン）と比較すると約8％減少しており、コロナ禍にともなう経済活動への影響が考えられる。鉱業、製造業、卸売業、倉庫業の4産業のうち最も出荷量の多い産業は「製造業」で、63％を占めた。

年間出荷量の発地域（全国10地域）構成をみると、三大都市圏である関東、中部、近畿発が全体の56％を占めた。発都道府県別では愛知県が最も出荷量が多かった。全国10地域の貨物流動量をみると77％が地域内流動で23％が地域間流動であった。地域間流動は関東－中部、中部－近畿の流動量が最も多い。1日当たりの貨物流動量に換算すると、関東－中部、中部－近畿はそれぞれ15万トン／日以上となり、東海道エリアは全国の中で最も貨物流動量が多い区間とみることができる。

[2] 道路、港湾等のインフラ整備

① 高速交通体系の整備状況

この地域は、首都圏・中部圏・近畿圏をつなぐ高速道路として、新東名高速道路、東名高速道路、中央自動車道の東西軸とともに、三遠南信自動車道、中部横断自動車道の南北軸の交通インフラが交わる交通の要衝として、高速交通ネットワーク上、重要な位置を占める。

国土交通省の検討会資料[注8]によると、新東名・新名神・東名・名神の道路

延長は、全国の高規格幹線道路の供用延長（約1万1千キロ）のうち1割にも満たないが、全国を行き来する貨物の走行トンキロベースの輸送量でみると5割近くを占めている。上述した物流センサスでもこのエリアには多くの貨物流動が認められ、産業集積の大きさからみても、製造業に関わる貨物発集量も交通量も多い。この地域の道路インフラは物流の大動脈となり、地域の産業活動と経済発展を支えている。

2 港湾の整備状況

この地域には、国際貿易を担う港湾として国際拠点港湾の清水港、重要港湾の三河港、御前崎港があり（図1）、これら3港は貿易黒字額で全国上位15港以内に含まれている[注9]。港湾ごとに取扱貨物（重量ベース）の特徴があり、清水港は、輸出品では自動車部品、輸入品ではLNGが上位を占める。また、中部圏で名古屋港に次いでコンテナ取扱本数が多く、三大都市圏以外の港湾で唯一北米及び欧州航路を有し、加えて、中国・韓国などの近海航路や東南アジア航路が充実している。御前崎港は、輸出貨物の大半が完成自動車や自動車部品など自動車関連貨物が占めている。愛知県の三河港は、輸出・輸入ともに完成自動車が

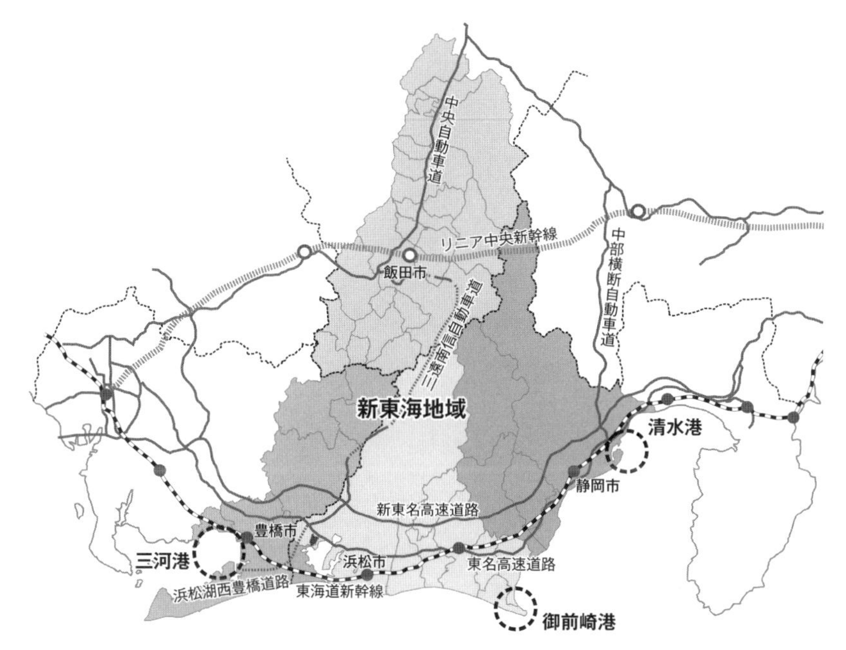

図1　新東海地域の主要な道路、港湾等の分布（出典：本研究会作成）

最も多く、日本トップクラスの自動車港湾である。それぞれの港湾においてインフラ機能の拡充が進められ、背後地の産業の競争力強化に貢献するとともに、各地の生産拠点や物流拠点を結ぶ交通インフラとして重要度は増している。

3 物流の課題解決に向けた地域の取り組み

[1] 陸上輸送の課題解決

1 物流スタートアップ企業による2024年問題への取り組み

「物流の2024年問題」とは、働き方改革関連法によって、2024年4月1日以降「自動車運転の業務」に対し、年間の時間外労働時間の上限が960時間までに制限されることによって発生する諸問題の総称である。

トラックドライバーの労働時間が少なくなることは、労働環境の改善や健康を守るという点では望ましいが、1日の運転時間が短くなり、ドライバーの走行可能距離も短くなることで、1企業当たりの貨物輸送量が減り、企業売上の減少につながる他、ドライバー人件費や輸送運賃の上昇も予想されており、荷主企業や消費者への影響も指摘されている。

このため、陸上輸送において、物流DXの導入による生産性向上や業務改善を行う必要がある。しかしながら、こうした仕組みを自ら取り入れることができる運送会社ばかりではない。公益社団法人全日本トラック協会の資料[注10]によると、トラック輸送業界は99%が中・小規模事業者で占められており、「物流の2024年問題」は物流コスト増につながり、大きな社会問題に発展する可能性がある。

このような中、2021年に愛知県蒲郡市で起業したスタートアップ企業(株式会社スペース、村井美映代表取締役社長)は、物流DXによって2024年問題から派生する課題の解決につながる新しいビジネスモデルを生みだした。日本初の運送会社間で貨物中継に必要な施設情報をインターネットで検索・マッチングさせる「ドラ基地(ドライバー基地)」である。ドラ基地は貨物を中継輸送したい運送事業者の情報と中継拠点として施設やスペースを貸し出したい事業者の情報をオンライン上でマッチングするシステムである。

このシステムは、長距離輸送において中継が必要なエリア内で利用できる拠点と、荷物積み替えに必要な設備情報（トラックを停車する駐車場、荷下ろし場、フォークリフト等）をアプリ上で見える化する。運送会社は利用ニーズに合致すればその拠点を中継地としてアプリから予約することができる。中継拠点を確保するために時間とお金をかけて拠点を探している運送会社は、アプリ上から手軽でスピーディに拠点を検索することができる。また、全国各地に拠点が持てない中小物流事業者は、手軽に拠点が確保でき遠隔地への輸送が可能となる。拠点活用により荷物の乗せ換えやばらしといった荷役作業やトレーラーのヘッド（牽引車両）交換、ドライバーの交代や休憩拠点にも活用できる。

2024年4月の改正法施行によって、1日の運転時間が短くなれば輸送距離も短くなる。1人のトラックドライバーが走行可能な距離は、往復する場合片道250km程度と試算されている。改正前のように、長距離輸送のすべての行程を1人のドライバーが担うのではなく、拠点を活用することで複数のドライバーで分担する輸送方式が可能となる。これにより運送会社同士の協業が生まれ、人材を増やさずに人材不足を解決できる取り組みとなり、業界全体の課題解決につながっていく。

既に、同社は愛知や静岡に約20ヵ所の拠点を提供し、24年までに40ヵ所に増強する計画を持っている。中継拠点のアプリ上の可視化だけでなく、サービス利用企業各社の荷物の量と納品先も可視化し、トラックの復路も荷物を運べるようにすることで、輸送効率性の向上も図ることとしている。マッチング機能から実証実験を重ねてブラシュアップさせることで、より高度なプラットフォームシステムの社会実装が期待される。全国に拠点がない中・小規模事業者は業界企業の99％に及び、1日に約203万台ものトラックが中継輸送を必要とすると考えられており、この地域発の物流DXスタートアップ企業の活躍が期待される。

2 ドローン活用による中山間地物流のプラットフォーム形成

我々の生活には通信販売やフードデリバリー、ネットスーパーでの購入が浸透してきた。民間調査会社[注11]によると、ラストワンマイル物流の市場規模はコロナ禍の2020年度に前年比で約3割拡大し、近い将来には3兆円規模になると推計されている。次に、日用品などのラストワンマイル物流をドローンで配送する事業に参入した物流企業の取り組みを紹介する。

浜松市に本社を置く株式会社ハマキョウレックスは、2021年12月に新会社HMKNexus（エイチエムケーネクサス）株式会社を設立した。同社は宅配システム開発やコールセンターの開設とともに、「ラストワンマイル」と呼ばれる物流拠点から消費者等の自宅までの配送の体制構築を進めている。その際に活用される新しい輸送手段がドローンである。

同社が社会実装を進めるエリアは浜松市天竜区である。浜松市の人口は79万7千人で、そのうち北部に位置する天竜区は人口2万7千人と少なく、65歳以上の割合は46％で高齢化が進む過疎地域である。買い物や通院も困難となりつつあり、店舗や診療所の廃業、免許返納（買い物弱者）、地域公共交通の削減などの地域課題への対策が待たれている。同社は、マルチコプター型ドローンを活用して、現地のスーパーから中山間地域の消費者の自宅へ商品を届けるドローン配送の社会実装をめざすとして、浜松市デジタル・スマートシティ推進事業本部と共同して、2021年11月から実証実験を行ってきている。実証実験では、ドローンの飛行ルートを設定し、ドラックストアやコンビニから医薬品、食料品等の物資を約3㎞離れた目的地まで届けた。目的地までは10分以内で飛行でき、安全面でも問題なく運行できたという。

ドローン飛行の今後の課題は、機体の性能向上や航空法改正を踏まえた対応が必要になることである。機体性能については、航続距離を現状の10㎞から20㎞まで伸ばすことや積載重量を現状の5kgから10kgへ増加することが必須となっている。飛行ルートについては、実験のフライトコースでは民家や施設等の第三者上空を通過しないように配慮し、常に機体を目視確認するためフライトコースに定めた陸上地点に人員を配置して安全への対応を行っている。従来ドローンの目視外飛行は離島等の無人地帯では可能であったが、人家のある地域では原則飛ばすことができなかった。2022年12月に改正航空法が施行され、レベル4飛行（有人地帯での目視外飛行）が可能となった。飛行ルート下の集落との合意や自治体との調整を踏まえて目視外飛行が日常的にできれば、飛行コスト面の課題解決につながるものと期待される。

収益性を確保しつつ、物流DXとしてドローン活用を社会実装することが待たれる。そのためには、小売価格に対して運行コストや配送費負担を最小限に抑えつつ、荷主や店舗、ドローンオペレーターの利益を確保するため、現状の宅配コストと同等レベルまで運行コストを削減することが求められる。具体的には、オンラインでの受注、配送、受け取りのシステム連携によりフードデリバリー会社、食品スーパー、コンビニ、ドラックストアなどの協業体制の構築が不可欠となる。同時に、ドローン運行管理、受発注・決済システムなどの物流デジタル化が必要となる。また、過疎地は実店舗数が多くなく商品を搭載できるドローン発着場も限られる。配送エリアを広範囲にカバーし遠隔地やへき地への配送も行うためには、固定店舗に加えて移動販売車との連携によるドローン発着点の柔軟な設置や可動化も求められる。

この事業に参画する既存企業は、上記のフードデリバリー会社、コンビニ、ドラッグストアやネットスーパー、ドローンオペレーターなど業態が異なる事業者である。ドローンと移動販売車といった空と陸を組み合わせた配送など、地域の特性に合わせた配送手段の構築が求められる。新会社 HMKNexus にはそれら全体をマネジメントする総合物流事業者＝プラットフォーマーの役割を担い、新しい物流 MaaS 事業への道を切り拓くことが期待される。

③ ドローンやエアモビリティの社会実装 ――ドローン・リバー構想

東三河地域の豊川市と新城市は、ドローンやエアモビリティに関する新産業の集積や社会実装を図り、地域経済の活性化と地域課題の解決に取り組むため、「東三河ドローン・リバー構想推進協議会」を2020年8月に設立した。この構想は、国による「空の産業革命に向けたロードマップ（ドローン）」等を指針として、ドローン・エアモビリティを活用した地域社会の実現や新産業の集積に向けた取り組みを進めるもので、2020年から10年間を計画期間として、未来技術を実装するためのフィールドの構築や、新産業集積に向けて地域産業としての新しい成長戦略モデルの構築が目標に設定されている。構想の具体化に向けて重点施策が三つ位置づけられて実証実験が進められている。以下に具体的な取り組みを紹介する。

一つ目は「物流の自動化・高速化による輸送ネットワークの構築」である。地域の宅配・輸送サービスにドローンを活用して空の新しい輸送ネットワークを構築する。具体的には、都市部、山間部での生活物品や医薬品等のドローン配送の社会実装である。2019年度から河川上空での飛行実験が始まり、2020

年度からは配送事業者や地元企業による河川及び山間部での宅配・輸送サービスの実験で、配送ルートや配送方法の検証や現状の陸上輸送とのコスト・時間の比較、荷役作業の負担軽減に係る効率性の検証が進められている。

二つ目は「農林業や建設業の作業省力化を進めるイノベーションの構築」である。農業、林業等の一次産業の担い手不足への対応や、建設業等でのインフラ点検や業務効率化・安全性向上をめざす。例えば、農業では農作物の生育状況を把握するため、空撮や画像解析によるセンシング、農薬散布、さらには収穫した農作物や農資材等の輸送、林業では森林の生育状況の把握、境界確定の他、木材や資材の輸送にドローンが活用される。建設業の分野では建設現場や既存構造物に対する点検・測量等に活用し、作業の安全性や効率性を高めるとともに、画像やデータ解析の迅速化や進捗管理にドローンが活用される。

三つ目は「大規模災害時に対応するためのオペレーションシステムの構築」である。大規模災害発生時の初動対応にドローンを導入し、空からの被害状況の確認・把握を行い迅速な情報収集を可能とするオペレーションシステムを構築する。これは発災時から安全かつ迅速で効果的な情報収集、集約、さらには関係機関への展開も可能とするシステム構築であり、ドローンを活用した空撮やサーモグラフィー診断などを行うことで被害状況の把握や救命・捜索活動等の初動対応の強化が図られる。豊川市では既に防災ドローン航空隊が結成され、平時から火災原因調査等の消防業務でドローン利用が進んでいる。

[2] 海上輸送の課題解決

1 次世代を見据えた港湾の姿 ――国や県の港湾政策動向

国土交通省港湾局では、2030年頃の将来を見据え、我が国の経済・産業の発展及び国民生活の質の向上のために港湾が果たすべき役割や、今後特に推進すべき港湾政策の方向性等を、「港湾の中長期政策『PORT 2030』」として取りまとめている。この政策の一つに「情報通信技術を活用した港湾のスマート化・強靭化」がある。具体的な施策はAIターミナルの形成や、ICTの革新に合わせた港湾の手続、物流情報の完全電子化などである。港湾はあらゆるモノ、ヒト、情報、主体、空間をつなぐ「フィジカル&サイバープラットフォーム」となり、新たな価値を創造するインフラへと進化していくとしている。

国の動きを受けて、この地域では「伊勢湾の港湾ビジョン」が2020年1月に取りまとめられた。ビジョンには「国内外を先導する情報通信技術を活用した港湾物流の生産性向上」としてAIターミナルを整備する方向性が示されている。例えば、荷役機械の自動運転化やRTG[注12]の遠隔操作、また、ターミナル内のコンテナ蔵置の最適化によるトラック搬入出の効率化など、より最適なターミナル運営に向けた検討が進められている。また、輸出入の際の貿易書類は紙媒体でのやり取りが多いのに対して、貿易データ連携基盤の検討が進められ書類の電子化も進められている。名古屋港では一部ターミナルの自動化や荷役機械の遠隔操作化が進んできていて、こうしたモデルを示すことで全国各地の港湾でも取り組みが進むことが期待される。

また愛知県庁は県内港湾の一つである三河港について、概ね30年後の将来像やその実現に向けた利用計画をとりまとめ、2021年6月に三河港長期構想(案)を公表した。この中で物流に関する将来像は「新たな国際・国内海上輸送に対応した競争力のあるみなと」とあり、「最新の情報通信技術の導入・活用による物流の高効率化の実現」が目標にある。自動運転による自動荷役や完成自動車AIターミナル、情報通信技術を踏まえたコンテナAIターミナルの形成等をめざすこととなる。

2 三河港と清水港の港湾物流高度化の取り組み

具体的な港湾DXの事例として、三河港の完成車荷役高度化、清水港のコンテナ荷役効率化を紹介する。

まず、三河港は1964年に重要港湾に指定され、1970年以降、トヨタ等の国内自動車メーカーやサプライヤー企業の進出、1990年以降はフォルクスワーゲン等の外国自動車企業が進出し、工業港湾に流通港湾の機能も付加されるようになり、日本を代表する自動車港湾へと発展してきた。1993年に完成自動車の輸入が金額・台数ともに日本一となり、その後2022年現在に至るまで我が国最大の輸入自動車取扱港としての地位にある。

完成自動車の港湾荷役の高度化に向けた物流プロジェクトとして、明海地区で輸入自動車の荷役を行う総合埠頭株式会社(本社:愛知県豊橋市)の取り組みを見てみよう。三河港ではコロナ禍以前から完成自動車の輸入台数が拡大しており、特に年間のうち数回にわたって輸入台数が増加する繁忙期においては、岸壁背後のモータープール用地の不足が課題となっていた。また、コロナ禍では、港湾荷役従事者の感染に対する安全措置や消毒などの対策を徹底したことによって、人手不足や荷役作業時間の増加も引き起こされていた。そのため、より一層の効率的な保管配車管理が求められた。

船から降ろされた完成車は一旦モータープールで保管し、外装チェックなどを行ったあと、荷主である自動車メーカーからのオーダーを受けて1車両ずつ外国自動車企業の輸入整備センターへ運ばれる。モータープールでは、1車両ごとに保管番号が割り当てられ、独自システムによるICタグ（RFID）を用いた在庫管理方式の下で、配車や保管場所等の管理を効率的に行っている。この車両管理のデジタル化によって、モータープールでの該当車両の位置情報や車両情報の確認・更新作業が迅速化し、現場でリアルタイムにデータ更新されることで、輸入整備センターへの搬入に要する時間の削減につながっている。また、車両の抜出作業や荷繰り作業に必要な情報がハンディターミナルに一元化されているため、広大なモータープールでの現場作業に頼る必要がなくなり、人手不足や荷役作業の長時間化からも解放されるようになった。

同社の取り組みは2022年の愛知県デジタル技術導入モデル実証事業にも採択され、社会実装に向けてデジタル技術の導入による業務改善や生産性向上に積極的に取り組んでいる。今後は、完成車ターミナルにおいてヤードが逼迫しないように、最適な車両配置プランが自動作成できるシステムの開発をめざしている。これにより車両の出し入れがスムーズにできるようなヤードプランの最適化が可能となる。業務計画立案の自動化とともに、配送ドライバーの業務や荷役オペレーションの効率化が実現する予定である。

このように三河港では、完成自動車の荷役について、貨物情報のデータベース化、手続きの省力化やプランニングの自動化等の更なる高度化の取り組みにより、汎用性・信頼性の高い港湾物流サービスの提供が期待される。

次に、清水港は2011年に国際拠点港湾に指定され、国際クルーズ船の拠点にもなっている。背後には自動車、二輪車、楽器、製紙等の製造業企業が多数立地し、コンテナ関連の貿易が盛んである。2021年のコンテナ量は56万2610 TEU[注13]で全国第8位の実績がある。清水港のコンテナ貨物の玄関である新興津地区には、水深15m、延長700mの耐震強化岸壁に6基のガントリークレーンを備える国際海上コンテナターミナルがある。欧州、北米、東南アジア・中国など国際航路が就航し、清水港のメインターミナルとして稼働している。

情報システムに関しては、清水港では輸出入貨物を取り扱う複数の企業が各社のシステムを接続、データ交換を行い、各企業のみならず、清水港全体での業務効率を高める共同利用システム「清水港VAN」を構築、1997年2月に運用開始した。これにより船積書類手配からコンテナ搬入出手配までの港湾物流の基本情報のデジタル化が進み、現状では書類関係のほぼ全量がデータベース化されている。また近年は書類等の業務効率化だけでなく、「清水港VAN」のプラットフォームを活用し、コンテナヤード（以下CY）におけるコンテナ搬入出作業のタイミングと量を正確に把握し、CYの荷役機器の端末とリンクさせることにより、作業効率が向上、CY前の渋滞がほぼ無くなり、利用者の利便性向上の要望に応えてきた。

国土交通省では、ヒトを支援するAIコンテナターミナルの整備を進めている。具体的には、コンテナターミナル内において良好な労働環境と高水準の生産性を創出するため、荷役機械の一つであるRTGの遠隔操作システムを導入する事業である。

スマートリージョンの対象地域にある清水港は、2020年に横浜港、神戸港とならんで国のRTG遠隔操作化の事業に採択され、清水港のコンテナターミナルを運営する鈴与株式会社（本社：静岡県静岡市）の主導のもと、新興津地区国際コンテナターミナルへ遠隔操作RTGを22基（新規17基、改造5基）導入する計画が進行している。同コンテナターミナルで運用する全てのRTGを2025年までに遠隔操作化することで、コンテナ荷役作業の環境改善やコンテナターミナル全体の生産性・安全性向上が図られる。さらに、新規導入されるRTG17基のうち10基はエンジンと蓄電池で稼働するハイブリッド型で、12基（改造5基含む）は電動型が採用されており、温室効果ガスの排出が抑制され、脱炭素化に配慮した港湾機能の高度化にもつながることが期待されている。

このように、清水港では地球温暖化を防止するため、燃料電池やカーボンニュートラルな電力など次世代型エネルギーの活用により、脱炭素化に配慮した港湾機能の高度化も進められている。

4 物流高度化に向けた提案

本稿は、東三河、遠州、静岡の物流を担う民間企業や地域に焦点をあて、陸上物流、海上物流の課題をデジタル化によって解決したり、新規ビジネスに転換したりする取り組みを紹介した。取り上げた事例は限られるが、現時点の最新の取り組みとして、労働力不足への対応、生産性の向上、脱炭素など、それぞれ物流の高度化を進めている。これらの取り組みがさらに発展していくことを期待するとともに、地域を先行する好事例として物流企業や他地域に広く参考になっていくことを望みたい。

最後に、物流高度化の実装に向けた方向性を3点提案したい。1点目は「物流DXの技術や制度の実験場の形成」である。物流DXの様々な実験やマーケティングが行えるテストフィールドになれるように、技術や制度の実証の場としての地域をめざす。2点目は「物流に関する地域外と内のコミュニティが交わる場の形成」である。地域内外から物流のデジタル化にまつわる様々な企業や情報がクロスする地域をめざす。3点目は「物流デジタル人材が豊富な地域」である。デジタルを活用して次世代を切り開く人材が国内外から集まる地域をめざす。こうした地域をめざすためには、情報技術を持つ企業・人と、地域側のニーズをあわせるコーディネート機能、実証実験の支援、広域連携のサポート、国や県への特区提案など、国や所管省庁とも連携した体制が不可欠である。物流DXを進める官民連携の枠組みがこの地域に形成され、デジタルを活用した新しい物流サービス提供やイノベーション創出により、地域産業の活性化や安心安全で便利な暮らしが実現することを期待したい。

注

1 ジェトロ編（2022）「世界貿易投資報告 2022 年版」
2 経済産業省（2022）「令和3年度デジタル取引環境整備事業（電子商取引に関する市場調査）」
3 国土交通省「運輸部門における二酸化炭素排出量」
https://www.mlit.go.jp/sogoseisaku/environment/sosei_environment_tk_000007.html
4 公益社団法人日本ロジスティクスシステム協会（2022）「ロジスティクスコンセプト 2030」
5 公益社団法人全日本トラック協会（2023）「第120回トラック運送業界の景況感（速報）令和4年10月～12月期」

6　経済産業省（2022）「2021 年経済センサス－活動調査」
7　国土交通省（2022）「第 11 回全国貨物純流動調査（物流センサス）速報版」
8　国土交通省（2018）「第 1 回新しい物流システムに対応した高速道路インフラの活用に関する検討会 2018 年 12 月」資料
9　財務省（2022）「貿易統計」より 2021 年 1 月～ 12 月の数値
10　公益社団法人全日本トラック協会（2022）「日本のトラック輸送産業 現状と課題 2022」
11　株式会社矢野経済研究所（2021）「2021 年度版ラストワンマイル物流市場の実態と展望」
12　RTG とは Rubber Tired Gantrycrane：タイヤ式門型クレーン、CY とトレーラーとの間でコンテナの受け渡しを行う荷役機械のこと
13　TEU とは 20 フィートサイズのコンテナの数を表す単位で 20 フィートコンテナ 1 個分を 1TEU と言う。

引用文献・参考文献

愛知県（2021）「三河港長期構想（案）」
国土交通省（2018）「港湾の中長期政策『PORT 2030』」
国土交通省中部地方整備局港湾空港部（2020）「伊勢湾の港湾ビジョン」

新東海地域における創造都市施策の提案
——ソフトウェア産業と芸術関係の職業

藤井康幸

新東海地域は日本の第一国土軸上という恵まれた位置にある。過去60年の国土計画においては、各計画で焦点や重点の違いこそあれ、一貫して均衡ある国土の発展と形成がめざされてきた。しかしながら、人口と経済の東京への集中は止まらない。この背景として、国際化の進展が東京一極を尖らせることとなった、サービス経済化が進展し事業コストが高くとも収益が上がるので企業が東京に立地する、また、都市的アメニティの魅力もあるといった説明がなされている（例えば、石田 1990, 松原 1986, 山村・後藤 2013）。加えて、東京への集中に対応し、東京のインフラ整備にいっそうの公的支出がなされることによって地方の疲弊が進むという負の連鎖も指摘されている（林 2014）。

創造性はいつの時代においても人間社会の発展のキーワードの一つであった（Hall 1998, Landry 2000）が、創造都市（creative city）なる用語は、1980年代にイェンチェンが最初に使用した（Yencken 1988）とされる。1990年代には、当該国や地域の最も経済機能の集中した都市に続くいわゆる第二都市群にあたるバンクーバー、トロント、ケルンなどが文化芸術に基づく都市政策を標榜し（Scott 2014）、2000年代に入ると、ランドリーの著書やユネスコ創造都市ネットワークの発足により、創造都市は大いに注目されることとなった。ハァトら（Rato et al., 2009）は、創造都市施策を大きくは、経済側面、社会側面、都市（再）開発側面の3側面から分類し、グロダシュ（Grodach 2013）の分類は切り口が異なり複雑であるものの、おおむね同趣旨と読み取れる。創造都市は通りの良い旗印として、様々に都合よく解釈されている点に留意を要する。クンツマン（Kunzmann 2017）は、創造都市は時に、サステナブルシティ、スマートシティなどと混同されていると警鐘を鳴らす。創造都市は市民が学習する都市であり、都市ブランディング的な旗印ありきではない（Kunzmann 2017, Landry 2019）。

本稿においては、これらの論を踏まえ、創造性を文化経済、産業創造といった経済的な側面と、文化芸術を持続性ある社会と真に豊かな生活に関連づけようとする社会的な側面の二つに分けて論じ、多様な圏域から成る新東海地域における創造性に立脚した地域づくりのためのアイデアを提示する。本稿の着眼は、東京一極集中という国土構造の是正のためのヒントを創造性から得ると同時に、新東海地域の空間構成のあり方を展望する点にある。端的に言えば、日本においては、創造的産業と職業の地域立地が甚だしく偏っている。新東海地域は広い圏域であり、このような人口と経済規模の大きな圏域が創造性に富んだ産業の振興を通じて経済発展し、かつ新東海地域全体が創造性ある社会と生活で満ちていく姿を展望する。

1 創造性と産業・職業

[1] 核となる創造的産業と周辺の創造的産業

創造性が都市・地域政策にパラダイムシフトをもたらすという論は、佐々木・総合研究開発機構（2007）、福川・城所（2018）、グロダシュ（Grodach 2013）、ランドリー（Landry 2000）、マルクーセン（Markusen 2014）らが共通して述べている。欧州連合も、文化創造都市モニター指標（Cultural and Creative Cities Monitor）として、メンバー都市の文化、創造性にかかる様々な指標を集計、定期的に公表し、創造都市政策に取り組む都市の優位性に言及している。

しかしながら、創造的産業なるものに一律の定義は存在せず、創造的産業は各国各機関でまちまちに定義され、産業規模が算出されている。そうした中で共通しているのは、核となる創造的な芸術が存在した上で、他の核的な創造的産業、広義の文化産業、関連の産業などと区分された産業と職業が周辺に位置するという考え方である。なかでも、**図1**に示すスロスビーの同心円モデル（Throsby 2008）はよく知られたものである。核となる創造的な芸術があってこそ周辺があるわけであるが、産業面としては周辺分野の規模のほうが大きい。

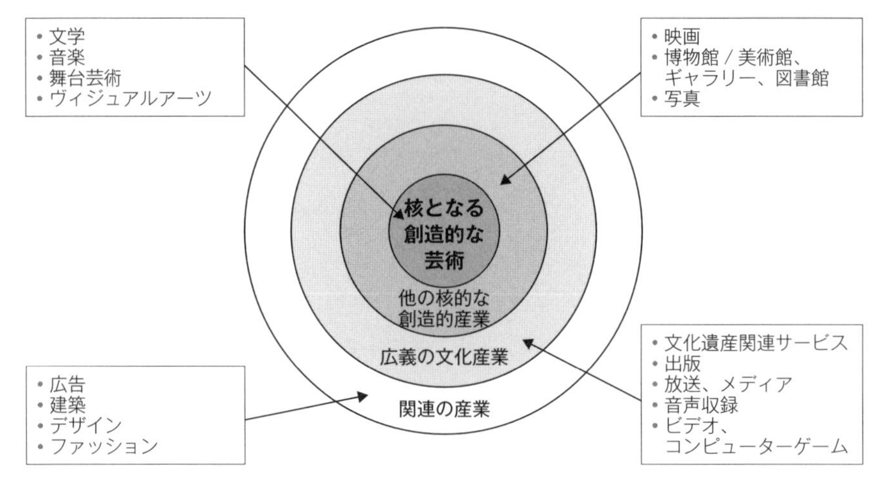

図1　スロスビーの文化産業の同心円モデル（出典：Throsby (2008), Figure 1. The concentric circles model of the cultural industries を元に筆者作成）

例えば、英国は世界で最初に創造的産業を定義した国とされるが、創造産業経済規模概算（Creative Industries Economic Estimates, 2016）では、「IT・ソフトウェア・コンピューターサービス」を全9分野注1からなる文化産業の一つとした。その粗付加価値（GVA）は9分野のうちの43.5％を占め、スロスビーが核となる創造的な芸術と分類した音楽・ヴィジュアルアーツ・舞台芸術と工芸を足し合わせた6.8％を大きく上回っている。

[2] ソフトウェア産業の地域立地の日米比較

ICT、IoT、スマート、DXといった用語がキーワードとされる時代において、ソフトウェア産業の立地は地域経済の発展について大きな期待を集めている。**図1**の広義の産業及び関連の産業にはソフトウェア業そのものの書き込みは見られないが、映像や音声関係のほか、ソフトウェア業をベースとする産業は多い。そこで、国土レベルのソフトウェア産業の立地について日米比較を行った。

東京都区部と20の政令市の人口の合計は日本の総人口の約3割である。分散的な国土構造となっている米国を取り上げ、世界をリードするIT／ICT産業集積地のシリコンバレーを含むようにして、人口上位12の都市圏統計地域（MSA）とサンホゼMSA（シリコンバレー）を対象に、ソフトウェア産業従業者数の日米比較を行った。横軸を人口順の累積として**図2**のようにグラフを描くと、日本について、縦軸のソフトウェア産業従業者数の累積シェアは、人口順位1位の東京都区部だけで全国の50％近くのシェアに達し、人口規模の大きな都市ほどソフトウェア産業従業者数シェアもおおむね大きいために、その後は累積の伸びが鈍化するカーブを描き、東京都区部と20の政令市の累積シェアは全国の約8割となる。人口順位10位以内の都市のこれら二つのカーブは似通ったものといえる。

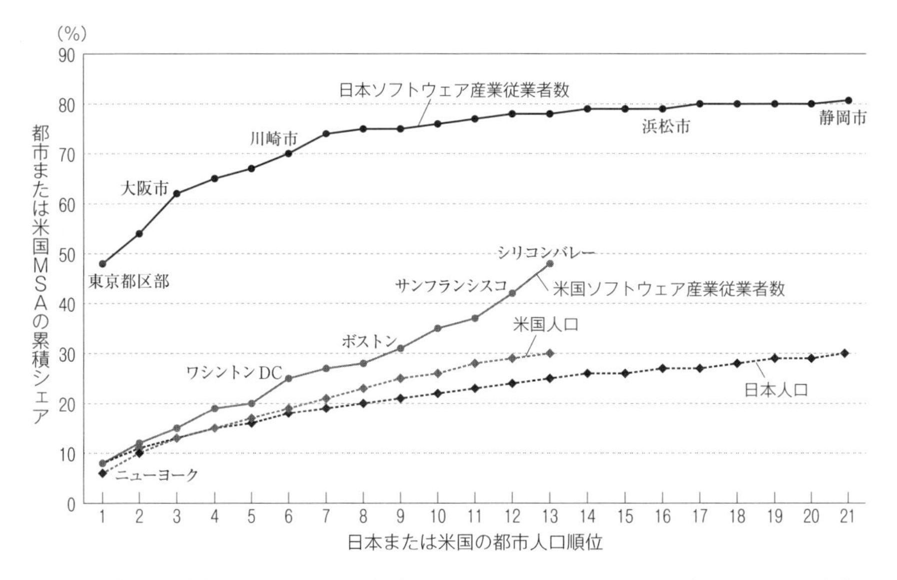

図2　日本の21大都市と米国の12大都市圏・シリコンバレーの人口及びソフトウェア産業従業者数の全国に対する累積シェア（出典：経済センサス－基礎調査2014年、U. S. Bureau of Labor Statistics, Occupational Employment and Wage Statistics 2021より作成）

- 日本については経済センサス－基礎調査2014年の産業小分類の391ソフトウェア業、米国についてはBureau of Labor Statistics, Occupational Employment and Wage Statistics 2021の11-3021 Computer and Information Systems Managersと15-1252 Software Developersを対象とした。
- 日本は21大都市（東京都区部と20の政令市）で全国の2020年人口の29.8%、米国は12大都市圏とシリコンバレーで全国の2020年人口の29.9%を占める。
- 米国の12大MSA（都市圏統計地域）は人口順に、1 New York-Newark-Jersey City, NY-NJ-PA Metro Area, 2 Los Angeles-Long Beach-Anaheim, CA Metro Area, 3 Chicago-Naperville-Elgin, IL-IN-WI Metro Area, 4 Dallas-Fort Worth-Arlington, TX Metro Area, 5 Houston-The Woodlands-Sugar Land, TX Metro Area, 6 Washington-Arlington-Alexandria, DC-VA-MD-WV Metro Area, 7 Philadelphia-Camden-Wilmington, PA-NJ-DE-MD Metro Area, 8 Miami-Fort Lauderdale-Pompano Beach, FL Metro Area, 9 Atlanta-Sandy Springs-Alpharetta, GA Metro Area, 10 Boston-Cambridge-Newton, MA-NH Metro Area, 11 Phoenix-Mesa-Chandler, AZ Metro Area, 12 San Francisco-Oakland-Berkeley, CA Metro Area。
- San Jose-Sunnyvale-Santa Clara, CA Metro Area（MSA人口順位36位）をシリコンバレーとした。

一方、米国については、人口順位1位のニューヨークMSAはソフトウェア産業従業者のシェアでも1位ではあるものの、実は、人口シェアと大差はない。また、全米の人口の約3割を占める対象としたMSAにおけるソフトウェア産業従業者数は、全米の5割足らずにとどまる。さらには、人口規模の大きなMSAにおいて必ずしもソフトウェア産業従業者数が多いわけではないので、**図2**のグラフの形状は日本のような漸減型のシェア増加にはならない。実際、人口当たりでみたときには、ニューヨークMSAのソフトウェア産業従業者数は、サンホゼMSAのおよそ7分の1、サンフランシスコMSAの3分の1にすぎない。この点は例えば、東京都区部の産業小分類391ソフトウェア業の従業者数が浜松市に比べて、人口当たりで10.8倍である点と大違いである。さらには、**図2**は、従事者数で1：2.8のソフトウェア産業の管理職と開発職の2職種の合計であるが、管理職については米国最大のビジネス拠点であるニューヨークMSAのシェアが相対的に大きい一方で、開発職のほうは、サンホゼMSA、サンフランシスコMSA、また、都市圏人口順位が全米15位であるために累積グラフの対象外としたシアトルMSAが上位にランクインし、東海岸地域と西海岸地域で、ビジネスと開発の役割分担が明確にみられる。

日本では米国と異なり、大都市の頂点にある東京が、次世代を担う新しい産業であるソフトウエア産業を吸収し、一極集中的の構造がよりいっそうの強化に寄与していることが読み取れる。

[3] 新東海地域、東京都区部、政令市における創造的産業と職業の集積

表1では、創造的産業をソフトウェア業を含む延べ11業種に拡大し、新東海地域、東京都区部、政令市の区分によって比較した。ソフトウェア業を除く10業種の従業者数は11業種全体の4割程度と、ソフトウェア業1業種よりも従業者数が少ないものの、音声情報制作業やインターネット附随サービス業といったよりいっそう東京都区部に集中する産業が含まれるため、東京都区部の全国に対するシェアは50.3％と、**図2**におけるソフトウェア産業従事者数のシェアよりも高まる。いずれの政令市も東京都区部に大きく水をあけられているが、創造的産業の特化度（**表1**における対象とした創造的産業のシェアと全産業のシェアの比）

表1　新東海地域、東京都区部、政令市の人口動態、創造的産業の従業者数の状況

都市、地域		2020年人口	2010年比	2020年高齢化率	対象とした創造的産業の全国に対するシェア(A)	全産業従業者数（公務除き）の全国に対するシェア(B)	特化度(A)/(B)
新東海地域	浜松市	790,718	0.987	28.2%	0.32%	0.65%	0.50
	静岡市	693,389	0.968	30.5%	0.42%	0.60%	0.70
	豊橋市	371,920	0.987	26.0%	0.08%	0.29%	0.29
	沿岸・東海道沿線市町	1,276,153	0.978	28.6%	0.12%	0.79%	0.15
	内陸市	240,846	0.926	35.9%	0.03%	0.44%	0.07
	内陸町村	170,806	0.908	35.2%	0.01%	0.13%	0.09
	小 計	3,543,832	0.972	29.4%	0.99%	2.91%	0.34
東京都区部		9,733,276	1.088	21.5%	50.34%	13.11%	3.84
首都圏政令市		8,340,222	1.040	24.2%	8.38%	5.53%	1.52
名古屋市、京都市、大阪市、神戸市、堺市		8,899,624	1.013	26.9%	12.84%	9.39%	1.37
札幌市、仙台市、広島市、福岡市		5,883,245	1.051	25.1%	6.20%	4.91%	1.26
新潟市、岡山市、北九州市、熊本市		3,191,860	0.987	28.7%	1.65%	2.54%	0.65

（出典：国勢調査、経済センサス－基礎調査2014年より作成）

- 対象とした業種は、産業小分類の391ソフトウェア業、392情報処理・提供サービス業、401インターネット附随サービス業、411映像情報制作・配給業、412音声情報制作業、414出版業、415広告制作業、416映像等情報制作に附帯するサービス業、726デザイン業、727著述・芸術家業、802興行場（別掲を除く）、興行団。
- 沿岸・東海道沿線市町は、島田市、磐田市、焼津市、掛川市、藤枝市、袋井市、湖西市、御前崎市、菊川市、牧之原市、吉田町、豊川市、蒲郡市、田原市。内陸市は、飯田市、伊那市、駒ヶ根市、新城市。内陸町村は、辰野町、箕輪町、飯島町、南箕輪村、中川村、宮田村、松川町、高森町、阿南町、阿智村、平谷村、根羽村、下條村、売木村、天龍村、泰阜村、喬木村、豊丘村、大鹿村、川根本町、森町、設楽町、東栄町、豊根村。
- 人口データは2020年、産業データは平成22年国勢調査。

は経済圏の規模の順となった。新東海地域の主要3都市はいずれも、創造的産業の全国に対するシェアが全産業従事者数の全国に対するシェアよりも小さい。産業都市とされる浜松市ではあるが、静岡市に比べ、創造的産業の特化度はやや小さい。

言うまでもなく、産業と職業の地域立地は表裏一体の関係にある。**表2**では、職業小分類から、芸術関係の職業として、「21著述家、記者、編集者」「22美術家、デザイナー、写真家、映像撮影者」「23音楽家、舞台芸術家」を抽出、集計した。創造的産業ほどではないものの、ここでも東京都区部への集中が確認される。政令市芸術関係の特化度（職業数の比）は**表1**と同じ順序となっている。また、新東海地域の特化度は、主要都市、3県のいずれも1を割り込み、政令

表2　新東海地域、東京都区部、政令市の芸術関係の職業数の状況

都市、地域		全国に対するシェア					
		著述家、記者、編集者	美術家、デザイナー、写真家、映像撮影者	音楽家、舞台芸術家	芸術関係小計	職業総数（公務除き）	特化度
新東海地域	浜松市	0.27%	0.58%	0.10%	0.48%	0.69%	0.69
	静岡市	0.41%	0.61%	0.45%	0.53%	0.60%	0.89
	長野県	1.48%	1.12%	3.47%	1.17%	1.81%	0.65
	静岡県	1.32%	2.26%	1.04%	1.94%	3.17%	0.61
	愛知県	2.94%	5.02%	0.69%	4.44%	6.21%	0.72
東京都区部		28.98%	18.99%	31.22%	21.81%	6.75%	3.23
首都圏政令市		10.30%	9.49%	11.55%	9.90%	6.25%	1.58
名古屋市、京都市、大阪市、神戸市、堺市		6.19%	9.38%	6.90%	8.51%	6.61%	1.29
札幌市、仙台市、広島市、福岡市		4.57%	4.94%	4.56%	4.87%	4.33%	1.13
新潟市、岡山市、北九州市、熊本市		1.81%	1.83%	1.26%	1.78%	2.45%	0.73

（出典：国勢調査 2015 年より作成）

＊職業小分類のデータは人口 50 万人以上都市についてしか得られないため、長野県（2020 年人口 2,048,011 人）、静岡県（同 3,633,202 人）、愛知県（同 7,542,415 人）のデータによった。

市のグルーピングの最下位の「新潟市、岡山市、北九州市、熊本市」と同程度であり、新東海地域に芸術関係の職業を持つ居住者が特化しているとはいえない。浜松市の比が静岡市よりも小さいという点も**表1**と同様である。

2 創造性の地域経済への展開

創造性を地域経済に展開するにあたって、核となる創造的産業・職業と、関連する周辺の分野の創造的産業・職業のどちらが先かとなると、両方とも不可欠、重要ではあるものの、規模の大きさからは、まずは、周辺の分野の創造的産業・職業の誘致、革新となろう。英国をはじめとする各国の創造的産業の規模の集計においては、ソフトウェア業は典型的に、核となる創造的産業の周辺に位置する創造的産業とされ、その規模は他の周辺の創造的産業を凌駕する。ソフトウェア業は1990年代のインターネットの登場以降、最近では、IoT、ス

マート、DXといった時代のキーワードに密接に関係し、他の産業のインフラ的な存在となった。また、企業単体というよりはむしろ、企業間システムや社会システムであることがその本質であり、空間をつなぐという点で広域の地域づくりにとって重要となる。

総務省の2017年版情報通信白書では、「情報の産業化」と「産業の情報化」という二つの見方から、情報産業を構成する項目を整理している。「情報の産業化」とは、情報関連のサービス活動が独立した産業を形成、発展するという概念であり、一方、「産業の情報化」とは、情報産業に限らずあらゆる産業において、原料や素材などの投入による生産活動に加えて、非物的な情報活動の比重が高まるという概念である。地方圏において“情報と産業”を考える際には、どのような業種で情報化の実装が進むと生産性が向上するかということが重要となるので、「情報の産業化」よりも、「産業の情報化」を志向するほうが適当ではないだろうか。しかしながら実際のところ、「産業の情報化」を構成する項目である情報化投資とICT投入の大きな業種は、情報通信業のほか、金融・保険業、商業、対事業所サービス業などである。地方圏においてこれらの業種の獲得をめざすことはやぶさかではないにしても、これらは大都市圏に集中する傾向のある業種であり、地方圏においては、情報化の顧客として、住民や地元の事業所の獲得をめざすことがより現実的であるといえよう。

大都市部から人口の少ない地方部まで、人口規模に応じて情報化投資とICT投入が行われていると想定できる業種としては医療・福祉が挙げられ、一方で、地方部において相対的に規模の大きくなる業種の代表は農林水産業である。東三河と遠州には製造業のイメージがあるが、2020年の農業産出額で、田原市が全国2位、浜松市7位、豊橋市13位と、実は農業の盛んな地でもある。食の充実は健康で豊かな生活、地域文化に直結する。また、一次産品に付加価値をもたせる意義は六次産業化の概念とともに唱えられてきた。食文化はユネスコ創造都市の一分野であり[注2]、加盟都市には人口の少ない都市も比較的多い。

同時に、新東海地域の中心を成す浜松市と静岡市などにおいてソフトウェア、ICT関連の産業集積を進めることが望まれる。前掲の図表で、創造的な産業と職業が東京に集中する現状をみた。東京への一極集中をどう見るかについては様々な意見や解釈があろうが、国家としての危機管理上の懸念に言及せずとも、東京一極集中は日本の国土の有している多様な地域文化の存在感を弱める方向に働きかねず、望ましいとはいえない。先進国にも、英国、フランスなど、日本と同様に人口と経済が第一都市に集中する国はあるが、米国のほか、カナダ、ドイツ、イタリアなどは分散型の国土構造となっている。

ソフトウェア、ICT関連の産業を地方圏に集積させる方策としては、企業本社の誘致、サテライトオフィスの開設、スタートアップ企業の育成などがあろう。企業本社の誘致は、関西発祥の企業でさえも実質的な本社機能を東京に移転させてしまった現状において、今日時点の日本企業がどれほどその意向を持っているのか疑問に思われるが、ウェルビーイング（心身と社会的な健康）が希求される昨今、少なくとも“痛勤”は解消されるべきである。

創造的な産業と人材については卵と鶏の論争がある。フロリダがいわゆる“クリエイティブクラス”を唱え、創造的な人材を企業が追う形で立地するとし、グレイザーらも都市的アメニティに人が惹かれるとしたのに対して、スコットとストーパーは、人材が先とするのは都市地理の論理として本末転倒であり、そこには都市の成長の内生的要因にかかる分析が欠如している、創造性とは、特定の都市の文脈に沿って、生産、仕事、社会生活の関係を織り混ぜることであると主張した。その後、クラッケは、フロリダのクリエイティブクラスの算出には、文化芸術の創造性という社会的な意義とは全く性質の異なる金融セクターの管理職が含まれており、クリエイティブクラスを過剰にカウントしすぎていると反論した。これに至り、イノベーションを起こす人材の居住地選択がまずあり、企業がそうした人材を追って立地するという論は劣勢となったといえよう（Florida 2002, Glaeser and Gottlieb 2006, Krätke 2011, Scott 2006, Storper and Scott 2009）。

サテライトオフィスの開設は地方圏の人口の多い都市とそうでない都市の両方で推進の可能な方策といえる。総務省の「地方公共団体が誘致または関与したサテライトオフィスの開設状況調査」によれば、2021年度末時点で、全国に1348箇所のサテライトオフィスがあるとされる。サテライトオフィスの多い都市のトップ3は、新潟県（59箇所）、札幌市（56箇所）、仙台市（45箇所）と政令市が占める一方で、東京都区部と大阪市はリストに見当たらない。同調査では、サテライトオフィスを開設した自治体は、移住者や二地域居住者の増加、地元企業との連携による新たなビジネスの創出などをサテライトオフィス開設の波及効果として挙げている。新東海地域の都市については、浜松市28箇所、静岡市12箇所と比較的多いほうではあるが、いっそうの取り組みが望まれる。

サテライトオフィスの開設が非都市部においても取り組めるのに対して、スタートアップの支援の場合は、当該企業の拠点が大都市等の別の場所にあるわけではない点、また、同一地域に立地する異業種との交流が有効となる点からしばしばスタートアップエコシステムと表現されるように、都市的な施策といえる。実際、どの政令市もスタートアップの支援に力を入れており、例えば、浜松市の進めるデジタルスマートシティにおいても重点施策となっている。

3 創造性の地域社会への展開

創造都市の代表的論者であるランドリーは、『創造都市への関心は文化から来ている。文化遺産は我々の過去の創造性の総体であり、創造性は社会を前方へ進ませる。文化は、ある場所が固有であり特有のものであることを示す一連の資源である。過去の資源は人を元気づけ、未来に対する自信を与えることができる』と述べている(Landry 2000)。この点からは、文化芸術の持続性ある社会と真に豊かな生活への関連づけは地域経済の振興等に比べて定量化し難く議論の難しいものの、文化は地域社会を形づくる根源的なもので、人が集まって住む都市は人類の偉大な発明の一つと考えると、重要なテーマといえよう。

浜松市の2013年の「創造都市・浜松推進のための基本方針」では、「創造都市をめざすことは、人々が身近な創造性に気づき、様々な場面で創造性を発揮するまちづくりを進めること。都市・人の両方の成長と魅力の向上、暮らしの豊かさを高めていくことにつながっていく」、静岡市の2019年開始のシティープロモーションである“まちは劇場”でも、「文化芸術を起点とした様々なコンテンツの提供を通じて誰もが健やかで豊かな生活を送れ、市民の幸福度が高いまち」「くらしに潤いを、こころに感動を」といった記述がなされている。

表2において、新東海地域のいずれの圏域においても芸術関係の職業が多いとはいえないことをみたが、上述のランドリーや浜松市、静岡市の考え方に照

らせば、創造的な人々とは、創造的とされる職業に限られるものではなく、地域の文化に対する理解があり、創造的に暮らす人々と解することができよう。行政は、地域住民が地域の文化に触れることを促進することが肝要である。

新東海地域の地勢的な特徴は、中央構造線とフォッサマグナによって囲まれたトライアングル、並びに、南信から遠州灘に注ぐ天竜川流域圏にある（大塚 2017）。また、三遠南信は日本有数の塩の道として人と物の往来してきた地域である。1995年には、掛川市の発案により、御前崎と糸魚川の350㎞の関係46市町村（当時）の参加する「日本海太平洋塩の道会議」が結成され、多くの地域資源の存在が特定された（竹内ら 1997）。残念ながら、南信から静岡にかけた南半分の地域では塩の道会議の活動が休止しており、地域社会や地域産業と絡める形での再興が待たれる。

地域文化を再評価し、創造的な暮らしや産業をめざすという点からは、「創造都市ネットワーク日本」「日本で最も美しい村連合」、また、日本で最も美しい村連合の静岡県版である「ふじのくに美しく品格ある邑」といった自治体が会員となり、相互に切磋琢磨する仕組みは有効、有益であろう。なかでも、会員資格を人口1万人未満の町村に限定する「日本で最も美しい村連合」では、経済的自立、住民の自主的活動、世襲財産を未来に繋ぐの三つを加盟町村の自立のための戦略としており、創造性ある地域づくりとの共通目標が多い。

新東海地域が移住先として人気の高い点も活かしたい点である。認定NPO法人ふるさと回帰支援センターの移住希望地ランキングで、静岡県と長野県は全国トップクラスにある[注3]。移住を検討、実行する若年世代は過去10年ほどの期間に伸びており、地方圏が創造的経済を進展させるための助けとなろう。

通過型でなく存在感と個性を有する新東海地域をめざして

新東海地域は広い圏域であり、人口と経済規模の大きな中心部が、周辺の分野とされる創造的な産業・職業を伸ばすことで、新東海地域の多様な圏域を牽引し、創造性を活かした地域づくりの展開が可能となる。同時に、創造性ある地域づくりにとっては、まずは、住民が地域の文化、歴史、風土を知り、愛着を持つことが重要で、そのための素材は十分にある。

太平洋国土軸上の恵まれた立地にあるものの、なにかにつけて通過型であることが新東海地域の難点であった。極度の東京一極集中と二つの表でみた政令市の序列を当然、不可避のものとするのではなく、米国のように各地の中枢都市圏が存在感と個性を有する国土構造とするためのヒントは創造性にある。

本稿では、創造性を引き出すと同時に、他の産業への波及効果の高い産業としてソフトウェア産業を中心的に扱ったが、他の成長産業との産業連関の比較などの精査が残された課題である。

注

1 英国のCreative Industries Economic Estimates 2016の創造的産業9分野は、「広告・マーケティング」「建築」「工芸」「デザイン」「映画・テレビ・ラジオ・写真」「IT・ソフトウェア・コンピューターサービス」「出版」「美術館/博物館・ギャラリー・図書館」「音楽・ヴィジュアルアーツ・舞台芸術」である。

2 ユネスコ創造都市の7分野は、「文学」「映画」「音楽」「クラフト&フォークアート」「デザイン」「メディアアーツ」「食文化」である。

3 ふるさと回帰支援センターの2022年の移住相談者（延べ6746の複数回答）について、静岡県は全国1位（3年連続の1位）、長野県は2位、セミナー参加者（延べ7886の複数回答）について、長野県は全国4位、静岡県は5位である。21位以下の都道府県は非公開であり、愛知県は相談者、セミナー参加者ともに20位の圏外である。

引用・参考文献

石田孝造（1990）巨大都市の経済構造分析（1）——東京都IO表の作成と分析の視点、*産業連関*、*1*（2）、pp.72-78

大塚英二（2017）近世三遠南信地域の社会的紐帯——遠江から見た南信濃・三河、*愛知大学綜合郷土研究所紀要*、（62）、pp.178-185

佐々木雅幸・総合研究開発機構編（2007）『創造都市への展望：都市の文化政策とまちづくり』（学芸出版社）

竹内宏・榛村純一・渡辺貴介（1997）『もっとも長い塩の道——日本海・アルプス・太平洋350㎞』（ぎょうせい）

林宜嗣（2014）東京一極集中と第二階層都市の再生、*経済学論究*、*68*（3）、pp.243-269

福川裕一・城所哲夫（2018）『〈まちなか〉から始まる地方創生——クリエイティブ・タウンの理論と実践』（岩波書店）

松原宏（1986）産業構造の新展開・国際化と東京の変容、*経済地理学年報*、*32*（4）、pp.251-265

山村崇・後藤春彦（2013）東京大都市圏における知識産業集積の形成メカニズム——市区町村レベルデータのパス解析および事業所アンケート調査より、*日本建築学会計画系論文集*、*78*（689）、pp.1523-1532

Florida, R.（2002）*The Rise of the Creative Class*, New York: Basic Books

Glaeser, E. L. and Gottlieb, J. D, 2006, *Urban Resurgence and the Consumer City*, Harvard Institute of Economic Research.

Grodach, C.（2013）Cultural Economy Planning in Creative Cities: Discourse and Practice.

International Journal of Urban and Regional Research, 37 (5), pp.1747-1765.
Hall, P. (1998) *Cities in Civilization: Culture, Innovation, and Urban Order*, London: Orion Pub
Krätke, S. (2011) *The Creative Capital of Cities: Interactive Knowledge Creation and the Urbanization Economies of Innovation*, Chichester: John Wiley & Sons
Kunzmann, K. (2017) The Creative City: An Obituary? *Arts Management Quarterly 127*, pp.2-10.
Landry, C. (2000) *The Creative City: A Toolkit for Urban Innovators*, London: Earthscan.
Landry, C. (2019) *Advanced Introduction to the Creative City*, Cheltenham: Edward Elgar Publishing.
Markusen, A. (2014) Creative Cities: A 10-year Research Agenda, *Journal of Urban Affairs 36* (s2): pp.567-589.
Rato, B., Roldão, A., and Mühlhan, O. (2009) *A Typology of Creative Cities in the World - Lessons Learned*, DINÂMIA - Centro de Estudos Sobre a Mudança Socioeconómica
Scott, A. J. (2006) Creative Cities: Conceptual Issues and Policy Questions, *Journal of Urban Affairs, 28* (1), pp.1-17.
Scott, A. J. (2014) *Beyond the Creative City: Cognitive - cultural Capitalism and the New Urbanism, Regional Studies, 48* (4), pp.565-578.
Storper, M., and Scott, A. J. (2009) Rethinking Human Capital, Creativity and Urban Growth, *Journal of Economic Geography, 9* (2), pp.147-167
Throsby, D. (2008) The Concentric Circles Model of the Cultural Industries, *Cultural Trends, 17* (3), pp.147-164.
Yencken, D. (1988) *The Creative City. Meanjin, 47* (4), pp.597-608.

スマートリージョンへの挑戦

デジタルスマートシティ浜松
――国土縮図型政令都市での展開

間淵公彦

浜松市は、人口約80万人を有する政令指定都市であり、本研究会が定義した新東海エリア最大の都市である。全国2位の広大な市域には、都心部、都市郊外、沿岸部、中山間地を抱え、全国の市町村が抱える課題が凝縮した都市でもある。様々な課題が一つの自治体に凝縮されているため、全国のデジタル化推進のロールモデルになりうる可能性を秘めている。

本章では、デジタルの力を活用し、持続可能な都市モデルの確立をめざしている浜松市の取り組みを紹介する。

浜松市の概要

[1] 浜松市の紹介

浜松市は、首都圏と関西圏のほぼ中間に位置する、人口約80万人の政令指定都市である。2005年7月に、当時の浜松市を中心とした12市町村が合併し、現在の浜松市が誕生した。2007年4月に政令指定都市に移行、当初七つの行政区を設置したが、行政運営を効率化するため、2024年1月に三つの区に再編する予定となっている。市域は1558 km^2 と全国で高山市に次いで2番目に大きく、南は遠州灘、西は浜名湖、東は天竜川、北は天竜美林と豊かな自然景観に囲まれている。

浜松市は、日本有数の「ものづくりのまち」としても知られており、スズキ、ヤマハ、ホンダ、浜松ホトニクスなど世界的大企業や数多くの起業家を輩出してきた。新しいことに果敢にチャレンジする気質は「やらまいか精神」とも呼ばれ、その精神は現在でも根付いている。2020年には、内閣府から「スタートアップ・エコシステムグローバル拠点都市」（浜松及び愛知・名古屋地域）の認定を受け、今まで培ってきたものづくり産業と、スタートアップの革新的な技術やビジネスモデルが共存し、好循環を産む新しい産業構造を構築しようとしている。

[2] 国土縮図型の政令指定都市

浜松市は、高層ビル・マンションが立ち並ぶ大都市の顔がある一方、市域に占める山林割合が65.2％、高齢化率が50％を超える限界集落が209あるなど大都市圏の政令指定都市とは異なる特徴を持つ。

広大な市域には、都心の活性化から中山間地の過疎対策、公共インフラの老朽化など多様な課題が存在している。産業振興も商工業だけではなく、農林水産業まで幅広い施策を展開している。多くの地方都市同様、人口は減少に転じており、少子高齢化社会への対応が求められている。このように地方が抱えている課題が凝縮している浜松市を、当研究会会長の大西隆東京大学名誉教授は、「国土縮図型の政令指定都市」と名付けた。

2 デジタル・スマートシティ浜松の推進

国においては、デジタル化の司令塔となるデジタル庁が2021年9月に発足、デジタル社会形成基本法が施行されるなどデジタル化を強力に推し進めている。そうしたなか、浜松市では国のデジタル庁発足前から、デジタルファースト宣言（2019年10月）を行い、浜松市デジタル・スマートシティ構想を策定（2021年3月）するなど、国や全国に先駆けたデジタル化の取り組みが行われてきた。

[1] デジタルファースト宣言

国土縮図型政令指定都市というべき浜松市には、人口減少・少子高齢化社会の到来やインフラの老朽化をはじめとした社会課題が山積している。それらの課題は一過性のものではなく、今後ますます深刻化していく。一方、課題解決に割ける財源や行政職員などのリソースには限りがあり、行財政改革による効率的な都市経営が求められている。「都市経営」と「地域社会」の持続性を両立させるためには、デジタルの力を活用することが不可欠といえる。

そのような環境下、自治体運営に“デジタルファースト”で取り組み、デジタルの力を最大限活用し、持続可能な都市づくりに取り組むため、浜松市は2019年10月に「デジタルファースト宣言」を行った。

同宣言では、デジタルファーストでめざす方向性として、「データ活用や地域解決を通じたイノベーションの活性化」「デジタルによる生産性向上」「デジタル技術やデータの活用による市民生活の快適化」の三つを示した。また、三つの戦略として、市内のスマートシティを推進する「都市の最適化」と、行政サービスのデジタル化を推進する「市民サービス向上」「自治体の生産性向上」を掲げた（表1）。

また、デジタルファーストを推し進めるにあたり、デジタル・マーケティング、デジタル・ガバメントなど分野の国内有数の専門家に「浜松市デジタル・スマートシティフェロー」を委嘱、2023年2月時点では6名のフェローが浜松

表1　浜松市デジタルファースト宣言　三つの戦略の取り組み

都市づくりの デジタルファースト 【都市の最適化】	・官民の分野横断的なデータ連携による都市の最適化 ・医療・福祉・健康分野のデータ活用による健康寿命延伸 ・ICT 活用による交通の最適化 ・ICT 活用による中小企業の生産性向上 ・農林業等各産業分野における AI 等先端技術の活用 ・プロモーションのデジタルファースト
市民サービスの デジタルファースト 【市民サービス向上】	・行政手続きのオンライン化 ・デジタル技術を活用した問合せ対応 ・教育分野における ICT 活用 ・多様な市民ニーズに合わせた行政情報の提供 ・ICT 活用による多言語対応 ・電子決済の推進
自治体運営の デジタルファースト 【自治体の生産性向上】	・AI・ICT 活用による業務効率化 ・オープンデータの推進 ・クラウド利用の推進 ・データ活用による自治体経営 ・デジタル人材の育成 ・働き方改革の推進

（出典：浜松市 HP 2022（筆者一部加工））

市のデジタル化推進のために活躍している。

[2]「浜松市デジタルを活用したまちづくり推進条例」の制定

浜松市は市民生活の質の向上や都市の最適化を図り、全ての市民が安全・安心で幸せに暮らし続けることができる持続可能な都市を築くことを目的に、「浜松市デジタルを活用したまちづくり推進条例」を2022年7月に制定した。

条例では第3条で、「オープンで相互運用性のある環境整備」「多様で包摂性のある社会の実現」「プライバシーの保護や配慮と、情報の収集・活用の主体及び内容に関する透明性確保」「運用面、財政面において持続可能を重視した事業推進」「災害や感染症等の発生時に都市機能の維持及び迅速な復旧を可能とする情報システムや体制の構築」の五つの基本原則を規定している。

浜松市は、五つの基本原則に則り、防災、農林業、エネルギー、教育・子育て、健康・医療・福祉、産業などの分野間の連携やデータの利活用を推進することで、デジタルを活用したまちづくりに関する施策を総合的に進めていくこととしている。また、デジタルを活用したまちづくりは、市民や事業者をはじめとする多様な主体の方々と連携・協力が必要として、官民連携でのデジタル利活用推進を基本としている。

[3]浜松市デジタル・スマートシティ構想

「デジタルファースト宣言」に基づき、都市づくりをデジタルファーストで進めるデジタル・スマートシティ政策の指針として、2021年3月に「浜松市デジタル・スマートシティ構想」が策定された。本構想は、「浜松市デジタルを活用したまちづくり推進条例」の基本指針として位置づけられている。

デジタル・スマートシティ構想では、デジタルの力を最大限活用し、①オープンイノベーション、②市民起点／サービスデザイン思考、③アジャイル型まちづくりの三つの視点から、「市民QOL（生活の質）の向上」と「都市の最適化」をめざしている。2020年度から2024年度の5年間をデジタル・スマートシティ浜松の基礎固めのための第一期と位置づけ、①浜松市の強みを活かした取り組み、②ウィズコロナ、ポストコロナのニューノーマルや安全・安心への対応、③課題解決型アプローチによる持続可能で包摂的な社会の構築に向けた取り組み、④推進基盤の構築や強化に重点的に取り組むこととしている。

3 持続可能な都市づくりの推進事例

浜松市では、デジタルファースト宣言、浜松市デジタルを活用したまちづくり推進条例、浜松市デジタル・スマートシティ構想など、デジタル推進の体系整備と同時並行で、産業、医療・福祉、エネルギー等の各分野でデジタルの力を活用して、持続可能な都市づくりを推進している。ここでは、「ウエルネス分野」「モビリティ分野」「エネルギー分野」での推進事例について紹介する。

[1]ウエルネス分野 ——浜松ウエルネスプロジェクト

浜松ウエルネスプロジェクトは、市民が病気を未然に予防し、いつまでも健

表2　浜松ウエルネス・ラボ　官民連携社会実証事業

事業名	実施者	実施期間
高齢ドライバーにおける日常の運転行動特性と認知機能の関係性：前向きコホート研究	スズキ株式会社 国立大学法人浜松医科大学	2021年10月～2024年6月
聖隷MCIスタディ：乳由来βラクトリンを用いたMCI対象の臨床研究	キリンホールディングス株式会社 社会福祉法人 聖隷福祉事業団 保健事業部	2020年9月～2022年11月
浜松市国民健康保険加入者を対象とした生活習慣病重症化予防事業の官民連携社会実証	株式会社PREVENT	2021年7月～2022年6月
スマート歯ブラシを活用した社会実証研究	第一生命保険株式会社	2021年6月～9月
「笑い」が脳機能に及ぼす健康効果を科学的に検証	キリンホールディングス株式会社	2021年4月
普段気づかない自身のストレス状態がわかる健康調査	キリンホールディングス株式会社 株式会社ファンケル	2020年12月～2021年7月
スミセイ“Vitality Action”	住友生命保険相互会社	2020年12月
健康増進アプリを活用した健康課題改善に関する社会実証	第一生命保険株式会社	2020年11月～2021年3月
デジタル技術＆ヒューマンタッチによる血糖コントロール事業	SOMPOひまわり生命保険株式会社	2020年11月～2021年3月

（出典：浜松ウエルネスプロジェクトHP 2023）

• 乳由来βラクトリン：キリンの脳研究から生まれた、加齢に伴って低下する記憶力の維持に役立つ乳由来の機能性食品素材（出典：キリンHP「βラクトリンとは」（https://www.b-lactolin.jp/about/）最終アクセス：2023年5月25日2023）

康で幸せに暮らすことができる都市「予防・健幸都市」を実現するための官民連携プロジェクトである。官民連携プラットフォームである「浜松ウエルネス・ラボ」では、地元や地域外の大手企業を中心に、市民の生活習慣病予防や認知機能の改善、健康増進などにつながる“浜松発”の様々な官民連携社会実証事業等を実施し、「予防・健幸都市」の実現に寄与する有効なデータやエビデンス等を取得している（表2）。

取得したデータ等は、ウエルネス・ラボ内のデータプラットフォームに蓄積し、浜松市は予防・健康づくり施策に活用、連携各社は自社のビジネスに活用している。

[2] モビリティ分野

国土縮図型政令指定都市といわれる浜松市は、人口集中地区（DID）の人口割合が約6割と政令指定都市中最も低く、中山間地が全市域の65％を占めている。そのため、パーソントリップ調査（2018年第4回西遠パーソントリップ調査）によると、浜松市の自動車分担率は66.6％を占めており、バスや鉄道といった公共交通機関は合算しても5％未満となっている。

今後、高齢化の進展により自主的に運転免許証を返納する人が増加する一方、公共交通機関、特にバス路線は縮小・廃止の流れに歯止めがかからなくなる懸念がある。買い物や通院等の日常生活での移動を、現状の交通体系や移動手段のまま支え続けることは困難であり、デジタルの力を活用した持続可能な交通体系の構築が求められている。

そのような状況下、浜松市では持続可能なまちづくりや生活サービスの維持・質の向上に向けて、「浜松版 MaaS 構想」を策定した。構想では、交通・生活課題など、喫緊の課題への対応のための「持続可能なモビリティサービス（アプローチ①）と、近未来の移動手段の提供といった「より豊かな生活を創造するモビリティサービス（アプローチ②）」の二つのアプローチを組合わせることにより、浜松市の暮らしをより豊かにし、来訪者にとっての魅力も高めていくことをめざしている。

これらの推進には官民一体で当たり、「市民」「企業・大学等」「行政」が役割を持ち、それぞれが主体的に参加している。既に、「浜松市モビリティサービス推進コンソーシアム」を中核としたエコシステムが形成されつつあり、「浜松市デリバリープラットフォーム」や「浜松市テレパーク構想」などのプロジェクトが立ち上がっている。

1 浜松市デリバリープラットフォーム「Foodelix」

浜松市の地域特性に合わせた新しいデリバリー&テイクアウトプラットフォームである。コロナ禍でテイクアウトニーズが増える一方、決済・配送エリアが異なる事業者単位でサービスが行われており、利用者サイドでは使いづらいという課題があった。一方、コロナ禍で苦しんでいた事業者側もデリバリーサービスを開始したくても、ノウハウや配送人員が不足しているという課題を抱えていた。

そこで、利用者、事業者双方の課題を解決するため、注文・決済・配送までを一元的に管理できるデリバリー&テイクアウトプラットフォーム「Foodelix」を市内外の企業と浜松市が連携して立ち上げ、2020年10月から運用を開始した。デリバリー&テイクアウトプラットフォームへの参加業者が乱立し、既に事業撤退しているところもある。Foodelixは、大手プラットフォームと違い配送業者として、地元のタクシー会社や新聞配達業者が参加しており地域色が強い。

2 浜松テレパーク構想

コロナ禍で企業にもとめられたテレワークへの取り組みによって生じた「仕事ができる個室の確保」等の課題を解決するために、車をオフィス、駐車場をコワーキングスペースとして活用することで新たな働き方を提案する「浜松テレワーク実現委員会」を、We will Accounting Associates㈱、スズキ㈱、㈱東海理化、浜松市の4者で設立した。

多拠点居住や関係人口拡大に貢献するサービスとして、2020年11月より実証実験を開始した。

3 春野医療 MaaS プロジェクト

浜松市の北部に位置する天竜区は、面積が943㎢と全市域の約6割を占め、その約7割が森林となっている。人口は約2万5千人で人口減少に歯止めがかかっていない。高齢化率も浜松市全体の28.0％に対し、天竜区は45.6％と著しく高い。

今後、高齢者が免許返納等により自家用車での移動が困難になることが懸念される。加えて、医師不足等の中山間地における医療の課題も重なり、適切な医療サービスの継続が困難になる可能性があるため、天竜区の春野地区において通院困難な高齢者に「医療を届ける」モデルの構築をめざす実証実験を行った。

実証実験では、移動診療車を用いたオンライン診療を行い、オンライン診療を受診した患者に対して、医師や薬剤師と連携してオンラインでの服薬指導やドローンなどを使った薬剤配送を行った。

[3] エネルギー分野

浜松市は、南は遠州灘、西は浜名湖、東は天竜川、北は天竜美林と豊かな自然景観に囲まれて、多様な再生可能エネルギー源に恵まれている。森林資源からのバイオマス発電、河川からの水力・小規模水力発電に加え、全国トップクラスの日照時間を利用した太陽光発電、「遠州のからっ風」と呼ばれる北西の季節風を利用した風力発電など、再生可能エネルギーの導入が進んでいる。

浜松市ではRE100（使用する電力の100％を再生可能エネルギーにより発電された電力で賄うことをめざす国際的なイニシアティブ）の考え方を参考に、市独自で「浜松市域“RE100”」を定義し、浜松市内の総消費電力に相当する電気を、市内の再生可能エネルギーで生み出すことができる状態をめざしている。2018年度の実績をみると、市内の総電力使用量499万MWhに対し、大規模水力を含む再生可能エネルギー導入量は302万MWh（大規模水力除く69万MWh）で再生可能エネルギー電力自給率は60.6％（同14.0％）となっている。この電力自給率を2030年度に78.7％（同29.2％）まで高め、2050年度には101.1％（同49.2％）とし、浜松市域“RE100”達成をめざしている。

もっとも、浜松市域“RE100”は計算上、市内の電力使用量と再生可能エネルギー導入量がイコールになるという考え方で、市内の電力をすべて再生可能エネルギーで賄うことを意味しない。しかし、デジタルの力を活用すれば、文字通り自然任せの再生可能エネルギーをマネジメントし、省エネ技術を取り入れることで、市域全体でエネルギーを賢く利活用することが可能となる。2020年4月に改訂した「浜松市エネルギービジョン」では、「再生可能エネルギーの導入」「省エネルギーの推進」「スマート化の推進」「環境・エネルギー産業の創出」により、エネルギーに対する不安のない強靭で低炭素な社会「エネルギー・スマートシティ」を構築しようとしている。

浜松市ではスマートシティ実現の推進役として2015年に産学官金のプラットフォームである「浜松市スマートシティ協議会」を設立、その下部組織であるスマートプロジェクト研究会を中心に、浜松市をフィールドとして事業化に向けた様々なプロジェクトを展開中である。

なお、浜松市スマートシティ協議会は、浜松市デジタル・スマートシティ構想策定（2021年）よりも前に設立されている。協議会設立当時は、浜松市でスマートシティといえば、エネルギー分野に特化した取り組みを指していた。現在では、スマートシティといえば、生活・環境・経済活動・教育・交通・行政などの様々な分野も含めた浜松市全体の最適化をめざす取り組みを指し、エネルギー・スマートシティはその一部と位置付けられている。

4 国土縮図型政令都市・浜松の挑戦

[1] 国の方向性と合致する浜松市のデジタル推進

国では、全国どこでも誰もが便利で快適に暮らせる社会をめざして「デジタル田園都市国家構想」を推進している。簡単に述べれば、デジタル田園都市国家構想とは、デジタル技術の活用により、地域の個性を活かしながら、地方の社会課題の解決、魅力向上のブレイクスルーを実現し、地方活性化を加速させる構想といえよう。

前述した通り、浜松市においても、デジタルの力を最大限に活用し持続的な都市づくりを推進するため「デジタルファースト宣言」を行い、「浜松市デジタルを活用した推進条例」を策定、デジタルを活用したまちづくりの基本原則を規定した。条例の基本指針として、「浜松市デジタル・スマートシティ構想」があり、個別プロジェクトや計画が動いている。デジタル田園都市国家構想も浜松市の取り組みも、「デジタル技術を活用して地域の社会課題を解決し、地域活性化をめざす」という基本は同じである。浜松市のデジタル化推進の動きは、国の方向性と合致しているといえる。

もっとも、国のデジタル化推進の動きに合わせ、全国津々浦々の自治体で、程度の差こそあれ、行政サービスやまちづくりのデジタル化推進が浸透してきている。2021年度自治体DX・情報化推進概要によると、1741自治体中DXを推進するための全体方針を策定している自治体（2021年4月1日現在）は、219（12.6％）にとどまっている（浜松市は「策定している」と回答）ものの、2021年中に策定予定が310（17.8％）、2022年以降に策定予定が415（23.8％）となっている。全国の自治体において、この1～2年間で急速にデジタル化推進の体制が整いつつある。また、DX推進計画は、多くの自治体で策定済みであり、浜松市の策定時期（2023年1月）は、決して早い方ではない。

それでもあえて浜松市のデジタル推進の動きは国の方向性と合致していると述べるのは、浜松市のデジタル推進の動きが先進的かつ主体的と考えられるからである。多くの自治体でDX推進計画が策定され、デジタル化推進の体制が整備されてきているが、自治体DX推進計画手順書など、国が示した指針や手順書にただ従って作成したと思われるものも散見される。今後、各自治体で行われる予定の、デジタル田園都市国家構想総合戦略を勘案した地方版総合戦略の策定・改訂についても、国の手引きができれば、それを利用してそれぞれの戦略を作る動きも出てこよう。しかし、重要なのは、国の指針などを参考しつつも、各地域の実情に合わせた戦略を策定することで実現性を確保することではないか。

浜松市では「デジタルファースト宣言」「浜松市デジタル・スマートシティ構想」など国や全国に先駆けたデジタル化の取り組みが行われてきた（**表3**）。その上で、最近では、国内有数の専門家からなるデジタル・スマートシティフェローのアドバイスを受けて、先進的な取り組みを主体的に行っているといえよう。さらにいえば、国が求めているスタートアップ育成、スマートエネルギー活用、産学官連携による新産業創出、SDGs推進などの官民連携推進体制が既に構築されており、デジタル化推進とのシナジー効果が期待できる。こうした浜松市のデジタル化推進の取り組みが、着々と成果を上げていくことが期待されよう。

表3　国と浜松市のデジタル化推進動向

国の動向	浜松市の取り組み
2016年12月　官民データ活用推進基本法	
2019年12月　デジタル手続法	2019年10月　デジタルファースト宣言
2020年12月　総務省「自治体ＤＸ推進計画」	2020年　4月　デジタル・スマートシティ推進事業本部（22年7月デジタル・スマートシティ推進部に再編
2021年　9月　デジタル社会形成基本法 デジタル庁設立	
	2021年　3月　デジタル・スマートシティ構想
2021年11月　デジタル田園都市国家構想実現会議	2021年　7月　デジタルを活用したまちづくり推進条例
2022年12月　デジタル田園都市国家構想総合戦略	2023年　1月　浜松市DX推進計画

（出典：浜松市HP 2023（筆者一部加工））

［2］全国のロールモデルとなる浜松市のデジタル化推進

国土縮図型政令指定都市である浜松市には、全国各地の自治体が抱えている課題が凝縮している。デジタル田園都市国家構想総合戦略では、国が示すモデル地域ビジョンの例として、

①AI、IoTなどの先進技術や大胆な規制改革により都市機能やサービスを効率化・高度化し、快適性や利便性を含めた新たな価値を創出する「スマートシティ・スーパーシティ」

②SDGsの理念に沿った経済・社会・環境の三側面を統合した取り組みを進めることにより、地方創生に取り組む「SDGs未来都市」

③基幹産業である農林水産業を軸として、地域資源やデジタル技術を活用し、社会課題の解決と地域活性化に取り組む「『デジ活』中山間地域」

④知と人材の集積拠点である大学を拠点とした産学官連携を進め、大学発のイノベーションの創出や社会実装を促すことで地域活性化に取り組む「産学官協創都市」

⑤再生可能エネルギーやデジタル技術を活用し、産業、暮らし、インフラ、交通など様々な分野で脱炭素化に取り組む「脱炭素先行地域」

の五つのモデルを挙げている。そして各都市・地域は、地域の個性や魅力を生かした、それぞれの地域ビジョンを描き、その実現に向け取り組みを進めることとしている。

浜松市が現実的にどのような地域ビジョンをめざすかは別として、都心部では「産学官協創都市」、中山間地では「『デジ活』中山間地域」など、広大な市域内で上記5モデル全てを当てはめることができる。地方の社会課題が凝縮している国土縮図型政令指定都市・浜松市の事例をパッケージでそのまま活用できる地域は少ないが、ほとんどの地域で浜松市の事例をカスタマイズして横展開できる。浜松市でデジタルの力を活用して、持続可能な都市モデルを確立できれば、日本全体のロールモデルになりうる可能性を秘めている。

[3] 国土縮図型政令都市・浜松の挑戦

以上、浜松市のデジタル化推進の取り組みをみてきた。浜松市の取り組みは、日本全体のロールモデルになりうる可能性を秘めているとはいえ、課題もある。

一つは、デジタル化推進の先進地域であるがゆえの課題である。今まで行われてきた取り組みをみると、先進的かつ既に市民の利便性向上に役立っている取り組みが多いものの、実証実験止まりのものや、事業の持続性に疑問符がつくものも少なからずある。もっとも、他地域でも実証実験止まりの事業が多く、その要因として「国の資金を獲得することが目的となり、デジタル人材が乏しいこともあって安易に運営全般を企業に依存する例は多い」(出展：日本経済新聞2023.01.12) ことが挙げられている。実証実験なので、結果として否定的な結論が得られ、その先に進めない場合もあろうが、それらの失敗事例からも十分に教訓を引き出して、プロジェクトに改良を加えて実用に近づけることが重要であろう。とくに、多様な自然・社会条件を有する浜松市で、多様性に富んだ社会実験が可能であり、その中から他地域で生かせる教訓を導くことができれば全国的なメリットは大きい。

一方で、国土縮図型政令指定都市であるがゆえの課題もある。浜松市は多種多様な社会課題を抱えており、個々の課題解決のための事業が市域全体を底上げさせる効果は小さい。例えば、人口数万人程度の小規模都市・地域なら、選択と集中により、やるべき事業を絞ることができ、地域活性化の起爆剤となる可能性がある。極論をいえば、一つの事業が地域の全体最適につながることもある。しかし、浜松市では個々の事業が全市的な地域活性化の起爆剤になる可能性は低く、中山間地での事業など大半の市民に恩恵がおよばないものもある。

また、浜松市の場合、個々の事業を積み重ねても、全体最適につながりにくい。まずは全体最適を図るため、庁内や官民連携などのデジタル化推進体制をしっかりと構築し、政策・ルール・データ連携などの整合性を持たせる必要があろう。そのようなデジタル化推進の仕組みを整えた上で個別事業を展開すれば、それが有機的に結びつき、真の意味でのスマートシティ（リージョン）に昇華できる。浜松市は個々の事業だけではなく、デジタル化推進の仕組みも全国のロールモデルになりうるだろう。

引用・参考文献

総務省「令和3年度自治体DX・情報化推進概要」
（https://www.soumu.go.jp/main_content/000804041.pdf）最終アクセス：2023年1月23日

内閣官房「デジタル田園都市国家構想」
（https://www.cas.go.jp/jp/seisaku/digitaldenen/index.html）最終アクセス：2023年2月3日

内閣府「SIPサイバー / アーキテクチャ構築及び実証研究の最終成果報告会」
（https://www8.cao.go.jp/cstp/stmain/20200318siparchitecture.html）最終アクセス：2023年2月7日

『日本経済新聞』2023年1月12日「デジタル街づくり『実験ありき』で7割成果なし」

浜松市（2020）「浜松市エネルギービジョン【改訂版】」
（https://www.city.hamamatsu.shizuoka.jp/documents/13411/energyvisionkaiteibanhonpen.pdf）最終アクセス：2023年1月11日

浜松市（2021）「浜松市地域公共交通網形成計画」

浜松市（2022）「デジタル・スマートシティ浜松の挑戦」
（http://toukei.umin.jp/kenkoujyumyou/）最終アクセス：2022年12月29日

浜松市（2022）「デジタルファースト宣言」p.154
（https://www.city.hamamatsu.shizuoka.jp/documents/127823/dfsengen.pdf）最終アクセス：2022年12月21日

浜松市（2022）「浜松市デジタルを活用したまちづくり推進条例　条文解説」
（https://www.city.hamamatsu.shizuoka.jp/dsc/digital_jorei/jobunkaisetsu.html）最終アクセス：2022年12月21日

浜松市（2022）「浜松版MaaS構想【解説版】」
（https://www.city.hamamatsu.shizuoka.jp/documents/111253/maas_kaisetsu.pdf）最終アクセス：2023年1月11日

浜松市（2023）「浜松ウエルネス・ラボ」
（https://www.hamamatsuwellnesslab.jp/results/）最終アクセス：2023年10月2日

浜松市（2023）「浜松市DX推進計画（本書）」
（https://www.city.hamamatsu.shizuoka.jp/documents/155213/dx_honsho.pdf）最終アクセス：2023年10月2日

地域交通課題の解決に挑む実証実験「しずおか MaaS」

大石人士

地方都市における持続可能な公共交通の構築

地域の交通問題を考えるとき、大きなテーマとなるのは、一つは域外との交流を活発化するための広域交通ネットワークの整備であり、もう一つは域内あるいは都市内での移動をスムースにするための交通手段の確保である。そして、これらを利用者の視点で見ると、今後課題となるのが"市民の足"となる公共交通をいかに再構築していくかである。

静岡県中部地域は、人口約113万人を抱える5市2町（静岡市、焼津市、藤枝市、島田市、牧之原市、川根本町、吉田町）によって構成されているが、地域の広域交通インフラは、道路としては東西を結ぶ東名・新東名高速道路と南北に繋がる中部横断自動車道、鉄道としては東海道本線・東海道新幹線、海路としては清水港及び隣接する御前崎港、空路としては富士山静岡空港といった、陸・海・空の交通インフラが揃っている。今後は、こうした充実した交通ネットワークを生かした地域振興・産業振興策や地域の魅力向上、交流人口、関係人口、移住・定住者の増加策などにより、いかに人口流入を増やしていくかが地域の課題となっている。

一方、域内あるいは都市内での移動手段を見ると、居住地域は駿河湾に面する海岸部から南アルプスの山々を控える山間部へと南北に長く広がっており、かつ人口が集中する鉄道や幹線道路周辺の市街地もあれば高齢化の進展とともに加速度的に過疎化が進む中山間地もあることから、持続可能な地域内の交通手段の確保といっても一様ではなく、地域の実情を踏まえた多様な対応が求められている。とりわけ人口減少・高齢化が進む将来に向けては、市民ニーズへの対応と同時に交通事業提供者が対応可能な公共交通のあり方の再構築が必要となっている。

こうした状況は、静岡県中部地域の中心都市であり県庁所在地でもある政令指定都市・静岡市においても同様である。静岡市では2019年3月に「静岡市地域公共交通網形成計画」を取りまとめた。そこでは、コンパクトな都市空間を実現するまちづくりと連携した面的な公共交通ネットワークの構築が課題として挙げられ、今後は、高齢化社会における移動手段の確保やにぎわい創出のための回遊性確保なども含め、地域交通の再構築は不可欠の状況であることが指摘されている。

本章では、持続可能な公共交通の構築に向けて多彩な実証実験を進めている静岡市の「しずおか MaaS (=Mobility as a Service)」を取り上げて、地域交通の再構築を展望する。

静岡市の抱えるまちづくりの課題の一つに、政令指定都市としての多様な都市機能の集積により一定の賑わいはあるものの、目標として掲げてきた総人口70万人の維持が難しくなり、現在は約68万人強と人口減少が進み、このままでは地域活力が減退するのではないかとの危機意識がある。とりわけ交通分野の課題は移動手段の確保とされるものの、人口減少や少子高齢化によってバスなど公共交通の利用者数が減少し、公共交通を提供する側も維持コストの増加や運転手不足などが顕在化して、サービスの向上をしたくてもできない状況が生じつつある。一方、これまで市民の足の中心であった自家用車の利用も、高齢者の運転事故の増加や高齢化に伴う運転免許返納への対応、さらには近年の脱炭素化など環境に配慮した地域交通体系の形成といった視点や、住みよい魅力的なまちづくりのためにも公共交通を持続可能なものとしておくことは一層求められている。

② 実証実験を主導する地域主導型 MaaS コンソーシアムの組成

[1] しずおか MaaS とは

「しずおか MaaS」の正式名称は「静岡型 MaaS 基幹事業実証プロジェクト」で、静岡市の将来の都市交通のあり方を模索するために取り組みを開始した実証実験である。

「MaaS」とは、出発地から目的地までの移動ニーズに対して最適な移動手段をシームレスに提供するなど、移動手段全体を一つのサービスとして捉え、利用者にとっての一元的なサービスとして提供する概念・考え方である（国土交通省資料より引用）。また、「静岡型 MaaS」とは、静岡市に存する多様な交通資源や地域資源を有効活用し、移動の観点から都市課題の解決や多分野における相乗効果の発現に資する取り組みの総称としている。

具体的取り組みについては詳述するが、「しずおか MaaS」の実証実験には次の五つの基本理念がある（2023. 8. 31 時点）。

①官民連携による SDGs11「住み続けられるまちづくりを」の推進
②新たな移動サービスを構築し、過度に自家用車に頼らなくても安全・安心・快適に移動できる社会の実現
③年齢・性別・居住地等を問わず、全ての人にとって使いやすいユニバーサルサービスの実現
④ ICT・AI 等の最新技術や各種データの利活用による地域経済の好循環や生産性向上の実現
⑤静岡型 MaaS の実現に向け、行政及び地域団体並びに市内外の民間企業等が相互理解に基づき、組織・分野の垣根を越えて協力するオープンイノベーションの推進

[2] 官民連携コンソーシアムの構成と必要性

実証実験の取り組みにあたっては官民連携によるコンソーシアムが組成されているが、コンソーシアムの構成は、幹事会に地域の主要な分野の団体が参加しており、オブザーバーに国の関係機関が入っている。代表幹事には静岡市内

で鉄道やバス、タクシー事業のほかグループ企業で自動車販売や商業施設運営などの事業も行う静岡鉄道㈱、代表幹事代理には静岡市が就いている。両者はこれまでも地域交通課題については連携・協力関係にあった。このほか幹事会には県タクシー協会や商工会議所、市社会福祉協議会、観光DMO、地元金融機関などが参加し、オブザーバーには国土交通省の運輸支局、国道事務所も参加することとなった。

加えて技術会員として、外部の技術企業も加わっているが、地域のことは地域で解決すべきとの考え方から、意思決定権は幹事会が持っている。とはいえ、地域課題解決のために必要なシステムやサービスを地域内のみでは確保できないことから、技術会員制度を設けることによってオープンイノベーションの実現を期待している。当初、技術会員は10団体未満からスタートしたが、現在は40団体を超える参加を得ている。

コンソーシアム組織にしたポイントは、①モビリティ間の連携や交通・目的地との連携、ステークホルダー間の調整など、MaaSの取り組みは1団体ではできないこと、②餅は餅屋で、自社事業以外の分野別の課題が分からないこと、③アプリ構築、新モビリティサービスの運用など、単一団体のみでの多額な費用負担は困難であること、④国の補助金・支援金等の採択者要件を満たす受け皿が必要であったこと、⑤システム等の技術・ノウハウが必須であったこと、⑥民間企業が持つ資力・コネクション等を有効活用したかったことなどから、まさに地域主導型での官民連携の組織体となった。

3 AIオンデマンド交通を中心に実証実験を開始

静岡市は南北に縦長の都市構造で、かつ中心市街地、過疎地、観光地エリアと地域ごとの特性も分かれるため、将来に向けては各エリアに応じた最適な交通・移動サービスが必要となる。また、過度に自動車に頼らなくても、誰もが安全・安心に移動ができ、多彩な市民活動や住み続けられるまちを下支えする社会インフラの形成が地域課題となっていることから、デジタル技術の活用とリアルサービスの充実を目的に、様々な実証実験が進められた（表1）。

表1　しずおかMasSにおける主な実証実験

2019年度	コンソーシアム立ち上げ AI相乗りタクシー（市街地）
2020年度	実験用MaaSアプリ公開 AIオンデマンド交通＋客貨混載（郊外） リアルタイム混雑情報・混雑予測情報提供（電車） 仮想ダイナミックプライシング（鉄道沿線）
2021年度	AIオンデマンド交通／コミュニティバス ⇒ 地域主体の運行（中山間地） 高齢者を対象とした選べるデマンド交通（市街地）
2022年度	AIオンデマンド交通／コミュニティバス ⇒ 地域主体の運行（中山間地）
2023年度	次世代自動車を活用した自動運転走行（観光）

（出典：筆者作成）

まず始めた取り組みが、路線バスの補完・代替サービスとして期待されていたAIオンデマンド交通を中心とした実証実験で、エリアや対象者を変え、使用する車両やサービス設計を改善しながら、利用者側である市民ニーズとサービス提供者側の課題を探った。

[1] 市街地部でのAI相乗りタクシー実証実験（2019年度）

AI相乗りタクシーとは、人工知能（AI）が複数の乗車要求をリアルタイムに組み合わせ、効率的な運行を実現させる新しいサービスで、乗降場所を自由に決められるタクシーの良さと、他人と乗り合うことで安価に利用できるバスの良さを組み合わせたシステムである。利用者は、専用のWebアプリを用いて希望する乗降場所を指定し、AIが配車したタクシーに乗車する。途中で別の乗車予約が入った場合は、AIがルーティング（経路選定）して柔軟にルートを変えながら効率的に配車していく。運賃はWebアプリに事前登録したクレジットカードで決済するため、車内での決済は不要となり、通常のタクシー料金より25％安い運賃で利用されるよう設定されている（図1）。

実証実験1年目（2019年11月）の実施エリアは、JR静岡駅や静岡市役所葵区庁舎、複数の大型病院や商業施設が立地する市街地エリア（東西約6.8㎞×南北約4.3㎞）で、市内タクシー会社9社、各日最大21台の稼働で実証実験が行われた。コロナ禍前の実証実験であったことから、タクシーへの相乗りに対する抵抗感は低く、利用満足度が高く反復利用意向も強い結果となり、一定の市民ニーズ

図1　AI相乗りタクシーを利用する乗客（写真：「静岡型MaaS基幹事業実証プロジェクト」より）

があることが確認された。一方、運賃については、タクシーよりは安いものの、相乗りという状態ではバス運賃と比較されることになり、満足度は十分とは言えなかった。

[2] 郊外部でのAIオンデマンド交通の実証実験（2020年度）

実証実験の2年目では郊外部に実証エリアを設定し、1カ所はJR草薙駅を起点に住宅地とのアクセスを想定したものであり、もう1カ所は郊外部の地域中核病院を起点に住宅地とのアクセスを想定したもので、5名まで乗車可能なジャンボタクシーを活用したAIオンデマンド交通「のりあい号」の運行実験を行った。

ここでは予約方法を多様化し、後述する専用スマートフォンアプリ「しずてつMapS！」だけでなく、電話や呼び出しサイネージを追加し、高齢者が使いやすい環境を整えた。JR駅前や郊外部の病院の乗り場に呼び出しサイネージを設置し、タッチパネルでタクシーを呼び出したあとは、会員登録時に入力済みの自宅住所に簡単に帰れるというものとした。また、運賃についても、1乗車当たり200円の「都度払い」のほか、14日乗り放題券（1千円）や28日乗り放題券（2千円）などを設け、リピート乗車に有利な内容とし、事業性の検証よりもコロナ禍における利用者確保・ニーズ収集を重視した取り組みとした。

JR駅や商業施設・病院等の地域内施設と自宅とのドアツウドア輸送を想定した実証実験は、リピーター化した高齢者を中心に全体的好意的に受け取られ、需要の高さがうかがえた。しかし、電話予約が7割近くを占め、アプリやデジタルサイネージの利用が少なかったという点では、デジタルデバイドの克服も今後に向けた課題と言える。

さらに、この実証実験では、併せて客貨混載サービスの需要と課題を把握するため、「のりあい号」を活用した商品宅配サービスを実施した。アプリに登録された10数店舗の商品だけではあるが、「のりあい号」を活用して無料で宅配してくれるもので、あくまで今後の需要を探るものではあるが、将来的には必要とされるサービスになるものとみられ、取扱店舗や商品、利用料金など具体的な利用形態を想定したサービスの設計が期待される。

 実証実験用アプリ「しずてつMapS!」の開発

「しずおかMaaS」は、複数の実証実験を通して社会課題の解決や次世代の交通・まちづくりへの基礎情報を集約し、交通サービスの利便性向上・データ利活用の可能性を探るとともに、with／afterコロナ社会を見据えた地域交通のあり方を模索する取り組みを行ってきた。

MaaSアプリは、MaaS実証実験を進めるサービス提供ツールであるとともに、ビッグデータ集積ツールになり得ることから、実験用MaaSアプリとして「しずてつMapS!」を構築し、試験運用を行った。2020年実証実験の機能としては、①前述の「のりあい号」の会員登録・予約・決済、乗り放題券の購入、②静鉄電車のリアルタイム混雑情報・快適乗車予報の提供、③静鉄電車の混雑予測に基づいたデジタルクーポンの発行、などに用いられた。

[1] リアルタイム混雑情報・快適乗車予報の提供(2020、2021年度)

これまで述べたAIオンデマンド交通は鉄道や目的地にアクセスするまでの端末交通というイメージがあるが、混雑情報の提供は、例えば駅にアクセスしたあと、電車やバスの密(混雑)を回避するための情報を提供するもので、コロナ禍でこその取り組みとなった。静鉄電車の主要5駅のホームにセンサーカメラを設置し、乗降密度を推定できるAI技術を利用することで混雑情報を把握し、「しずてつMapS!」、駅構内に設置するデジタルサイネージや実証実験の

ホームページで情報提供した。また、過去の乗降実績データなどのビッグデータを活用し、当日及び翌日の混雑予測情報も提供された。

[2] 混雑予測に基づいたデジタルクーポンの発行(2020、2021年度)

また、電車と街中の商業施設との連携の試みとして、まちなかの賑わいづくりと連動した仮想ダイナミックプライシングの実証実験も行われた。電車の混雑情報だけでは自発的に混雑回避するのを待つだけだが、クーポンにより積極的に混雑緩和に誘導するために実施された。2020年の実験では、電車が空いている時間に乗るほどお得なデジタルクーポンが発行され、静鉄電車の主要5駅の駅構内に設置されたデジタルサイネージに表示された二次元バーコードを「しずてつMapS！」で読み込んでクーポンを取得する。「座席に座れる程度」はAランククーポン(150円引き)、「ゆったり立てる程度」はBランククーポン(100円引き)、「肩が触れ合う程度」はCランククーポン(50円引き)、「混雑しています」の場合はクーポンなしとなっており、参加登録されている協力店(飲食店・小売店等)での支払い時にクーポン画面を提示して利用できる。

2021年の実験では、個人の電車利用実態に応じて行動変容を促すため、新静岡駅を下車する通勤通学者を対象に、オフピーク利用(朝7時40分前の新静岡駅下車)した場合にクーポンを配布することで、混雑平準化を図る実験も実施した。

混雑情報・快適乗車予報については、提供していたホームページの閲覧数が明らかに増加し関心度の高さは示されたものの、デジタルクーポンの発行・利用は想定ほどではなく、通勤・通学など利用者に期待していた日常の行動の大きな変容を促すまでには至らなかった。ここで、改めて個人の行動変容を促すことの難しさと、それを克服するための情報提供の認知度の向上、協力店の増加によるクーポン発行の増価など、他分野とのさらなる連携強化の必要性が確認できたといえよう。

5 中山間地や高齢者を対象としたオンデマンド実証実験

今後、地域特性に応じた持続可能な交通手段を確保するためには、地域資源を総動員した誰にも使いやすい交通手段を構築していく必要がある。とりわけ中山間地においては、継続的な生活を営む移動サービスの確保が課題となる。

[1] 中山間地でのAIオンデマンド交通（2021年度）

中山間地の実証実験においては、高齢化率が50％超、健康維持・介護、買い物・通院など移動に対する関心の高い場所を選んで、地域住民参加型の無償AIオンデマンド交通の実験を行った。静岡市の中山間地である玉川地区での実証実験では、地域住民によるドライバー、遊休福祉車両を活用し、地域の交流館から市街地側にお買い物バスを出し、買い物に行けない人は、「遠隔お買い物体験」としてタブレットでリモート買物をしてもらうこととした。

具体的には、地域の協力者が市街地のスーパーに行って、スマートグラスの映像を交流館のモニターに投影することで、参加者はモニターの映像を見ながら協力者と遠隔で会話をしながら買い物ができる。参加者は商品が届くまでは交流館で体操等をして過ごし、代金の精算をしてから届いた商品を持って帰宅する。これは、買い物の利便性向上という生活の質の向上とともに、地域の人が集まって交流する場ができたという地域コミュニティ向上という二つの生活支援面の効果が生じた。また、AIオンデマンド交通の予約や遠隔買い物を経験することで、外出機会の創出などにつながることが確認できた。

[2] 中山間地での地域主体のコミュニティバス運行（2022年度）

また、中山間地の大きな課題である継続的な生活を営む移動サービスとして、自治会主体の新たな運行モデルの有償による実証実験も行われた。実証実験が実施された大河内・梅ケ島地区は高齢化率が約5割と高く、日常的な移動手段は自家用車の人が約7割と高い。今後さらに高齢化が進んだ場合の移動手段の確保は課題であり、地域の交通に対する危機意識も高くなっていた。一方で、車両の運転は地域住民が担うなど地域の課題を地域の力で解決しようという意識も強く、段階的に運行モデルを検討していた。

具体的には、地域内移動交通の確保とともに「自分で商品を選びたい」というニーズに対して買い物等の必要な機能を集約してイベント的に実証実験を実施することで、にぎわいの創出と買い物や移動等に関するニーズを把握し、地域で暮らし続けることができる環境の構築に向けた実験となった。各地区に臨時のにぎわい会場を設営し、車両は両地区とも8人乗りのミニバン1台を利用した。乗降スポットは梅ケ島地区で約30箇所、大河内地区で約40箇所を設定し、利用料金は電話予約で300円、LINE予約で200円とした。

高齢化が進む中山間地では、単に交通弱者に対する交通手段の確保だけではなく、地域住民の活動推進やコミュニティの形成・維持といった生活支援全般にわたる施策との連携が求められることになりそうだ。

[3] 高齢者対象のAIオンデマンド交通（2021年度）

「選べるデマンド」として実証実験を行ったのは、高齢者の方を対象としたAIオンデマンド交通の運行で、社会福祉協議会とエリアについて相談しながら移動に課題を抱えるエリアを抽出した。具体的には地域包括支援センターが設置されている日常生活圏域の中で、「ドアツウドア型」と「乗降スポット利用型」を利用者自身が選択できるAIオンデマンド交通の新しい移動サービスとした。「ドアツウドア型」は自宅と目的施設を直接結ぶもので従来のタクシーに近いものであるが、「乗降スポット利用型」は事前に決めた幹線道路の配車スポットまでは利用者自身に徒歩で移動してもらい、車両の迂回距離の削減など運行経路を効率化するもので、スポットで乗車する場合は安価で、自宅まで来てもらう場合は高価にするなど運賃差をつけて実験した。乗降スポットの設置場所にもよるが、現状では両者の運賃差よる選択への影響は小さく、自宅からの利便性という「Door to Door型」の利用が多かったようだ。

6 次世代モビリティを活用した自動運転実証実験

公共交通機関の運転士不足の解決策の一つとして、中長期的視点から期待されるのが自動運転走行であり、次世代交通である自動運転車は、楽しく魅力ある観光コンテンツの一部としても有用性が期待されている。静岡市での実証実験では、大河ドラマ「どうする家康」の放映に合わせて駿府城公園周辺に一周約5kmの走行ルートを設定した。2022年に開館したばかりの静岡市歴史博物館を起点に、ルート上には大河ドラマ館のある静岡浅間神社や商店街もあり、歩行者や自転車が行き交う市街地走行での自動運転ノウハウの蓄積とともに、周遊観光への新たな交通サービスの提供としての課題も洗い出すこととした。

使用車両は、静岡県内に早くから次世代モビリティR&Dセンターを置くタジマモーターコーポレーションが開発した「グリーンスローモビリティ」を利用した（図2、3）。グリーンスローモビリティは時速20km未満で公道を走ることができる電動車を活用した移動サービスで、静岡県が数年にわたって実施してきた自動運転実証実験ほか全国各地で実績のある車である。乗車人員は6名

図2　自動運転実証実験中の次世代モビリティ（写真：「しずおか自動運転ShowCASEプロジェクト」より）

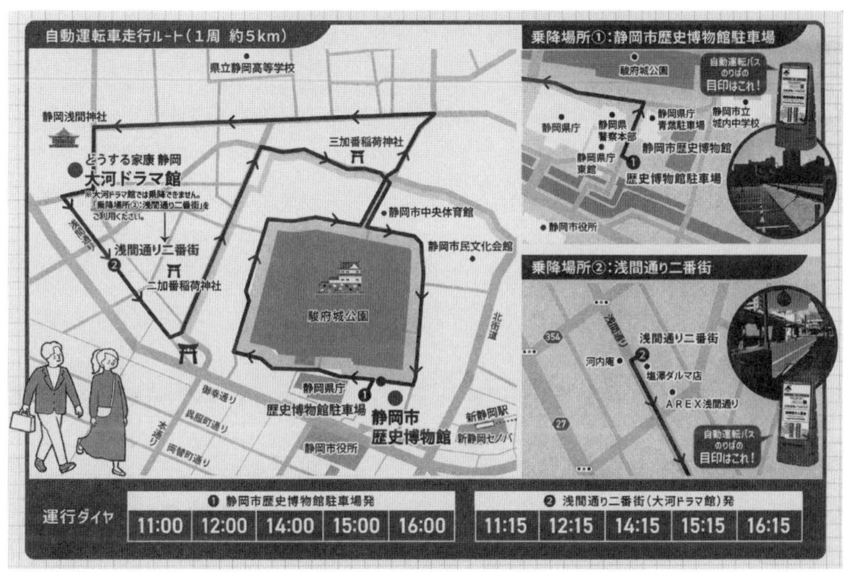

図3　自動運転実証実験のルート（2023年4月28日～5月10日）（出典：静岡型MaaS基幹事業実証プロジェクトのチラシより）

で、自動運転としては、運転者も同乗するレベル2の段階ではあるが、実際には静岡市市民文化会館に設置したコントロールセンターによる遠隔操作も可能で、ほぼ自動運転を実現している。

今回の自動運転実証実験は、既に静岡県が「しずおか自動運転ShowCaseプロジェクト」として実施してきた車両とシステムが活用されている。静岡県では、3次元点群データを全国に先駆けて収集・蓄積し、3次元点群データ流通のプラットフォーム「VIRTUAL SHIZUOKA」を構築し、オープンデータとして公開しており、これを活用した高精度地図による自動走行の実証実験を行ってきた。静岡市では初の自動運転実証実験となったが、今後、静岡県と連携し、実装に向け検証を加速していくことが期待される。

 しずおかMaaSのめざす方向性

しずおかMaaSの実証実験は、現在も続いている。

2020年7月に公表された「しずおかMaaS」の将来ビジョンには、新しい暮らし方を実現するために大切にする「つながるまち、変わるあした」という価値観があり、具体的な新しい暮らし方のイメージとして、以下の五つがあげられている。

① [自由] 気の向くままに移動しよう

気まぐれに移動できる環境の形成（モビリティ制約からの解放）、移動時の負担の削減、自立した生活の実現、多様化するライフスタイル・価値観への対応（居住地の自由、働く場所の自由等）

② [時間] 心にゆとりを、暮らしにうるおいを

交通サービスの定時性・速達性の確保、円滑な乗り換え環境の実現、物流サービスによる日常的な活動の効率化、ゆとりある生活の創出

③ [安心] 安心や快適をあたりまえに

分からないことへの不安の解消、防犯面での不安の解消、交通安全面での不安の解消、災害・感染症等の緊急時でも継続的に移動できる環境の構築

④ [ワクワク] 近未来にわくわくチャレンジ

新技術活用による新しいサービス・価値の創出、にぎわいの創出（まちなか）、観光振興（観光地）

⑤［共創］私にもできることがある

行政・民間企業・市民一体で地域課題の解決（共創）、社会問題の解消（人口減少、ドライバー不足、高齢ドライバー問題、若者の流出、後継者不足等）、環境問題への対応、公衆衛生の向上等

8 実装への第一歩は、事業成果の“見える化”

本章では、静岡市が実証実験を重ねてきた「しずおかMaaS」について、実験内容を中心に記述してきた。コロナ禍での実証実験であり、企画通りに進められなかった点もあろうが、新たな公共交通サービスに対する一定の需要の確認とともに、利用者である市民側とサービス供給者である交通事業者側、施策として進める行政側、さらには協力企業として参加した民間企業側、それぞれの課題と次に取り組むべき方向が見えてきたのではないかと思う。その上で、今後を展望する際の課題として、いくつか挙げておきたい。

今回はMaaSという地域交通課題への一つの対応を取り上げたが、MaaSは、より住みやすい魅力ある地域を作っていくための一つの手段であり、単なる交通弱者対策としての移動手段の確保だけでは、市民ニーズへの対応としても行政の施策としても不十分だと思われる。多くの自治体がめざしているのは生活の各分野にわたってICTやAIを活用したスマートなまちづくりである。今後、こうしたスマートなまちづくりを実証実験から社会実装へと進めていくためには、関係者の連携を深めた体制整備が不可欠である。

具体的には、実証事業の事務局を担うことが多い行政には、「ワンストップ体制の構築」が求められる。一つの自治体で事業を実施する場合でも、交通や環境部門など内部の関連部署との調整が求められる上、規制緩和などは国や警察など外部の関係機関との調整を要するケースが多い。専門担当部署の設置は、官民の様々なニーズに対応し、関係者の協力や信頼も得られることになる。

一方、ICTやAIを活用した実証実験を実装へと進めていくには、オープン

イノベーションの導入は欠かせない。実証実験で利用されるシステムは、様々な企業がサービスごとに最適なものを求めて独自にソフトウエアを開発する機会が多いため、いざ生活に合わせた実装の段階でサービスとサービスが繋がらない可能性がある。たとえばMaaSでも、交通系サービスと商用（買い物）系サービスが繋がらなかったり、あるいは広域で実装化しようとしても、隣接する都市同士で繋がらなかったりが起こりうる。システム開発の初期費用は大きいため、後になって接続のための二重投資を発生させないように、システムの標準化、将来に向けた互換性や拡張性の確保に向けて、オープンイノベーション導入による官民の連携や、周辺市町との都市間連携が必要である。

また同時に重要となるのが、事業成果の“見える化”である。多くの市民は、ICT活用の必要性を感じつつも、具体的なメリットを享受していないことから様子見の人が少なくない。まず市民にメリットを認識してもらい、その後のICTの利活用につなげていくことが重要であろう。ICTの特徴の一つは、データが蓄積されればされるほど、行き届いたサービスの提供が可能となることである。さらに今後、個人の利便性向上とともに地域社会を維持していくためには、健康や趣味・嗜好など個人の情報のさらなる提供が求められることになるが、市民が主体的に情報提供の可否を判断できる環境づくりのためにも、可視化は有効な手段となる。

今回、実証実験として取り上げた「しずおかMaaS」の実施内容や成果、課題が、共通の課題を抱えた周辺都市や全国の都市の参考となることを期待したい。

引用・参考文献

しずおかMaaSホームページ（https://s-maas.jp/）
静岡経済研究所（2020）「技術革新で活用領域が広がる『3次元データ』」『SERI Monthly』No.663
静岡経済研究所（2020）「本格化するスマートシティ実現に向けた取組み」『SERI Monthly』No.660
静岡経済研究所（2022）「交通弱者救済に向けた地域の取組み」『調査月報』No.687
静岡経済研究所（2023）「最近の静岡県経済と地域動向」『研究季報』Vol.114
静岡県（2019年～）「しずおか自動運転ShowCASEプロジェクト」
（https://www.pref.shizuoka.jp/machizukuri/1049255/showcase/index.html）
静岡市（2019年3月）「静岡市地域公共交通網形成計画」
（https://www.city.shizuoka.lg.jp/445_000090.html）
静岡市（2022年3月）「第2期 しずおか中部連携中枢都市圏ビジョン」
（https://www.city.shizuoka.lg.jp/000932113.pdf）

多核型で構成自治体が多い市町村広域連携の提案

太田秀也

人口減少・高齢化、国民の価値観の多様化、大規模災害のリスク等の課題に対応し、地域において住民が快適で安心な暮らしを営んでいくことができるようにするためには、自治体における行政サービスが持続可能な形で的確に提供されることが必要であり、このためには、自治体があらゆる行政サービスをフルセットで提供するのではなく、他の自治体と連携して効率的・効果的に提供する広域連携の推進が必要かつ有効である[注1]。

そこで、本稿では、基礎自治体である市町村の広域連携について、国の施策を概観した上で、国土計画における広域計画の視点も加えて、更なる人口減少等を見据えた今後の広域連携の方向について検討するとともに、それを踏まえ、具体の地域として新東海地域を対象として、多核型で構成自治体の多い市町村広域連携に関して検討し、しずおか中部連携中枢都市圏、三遠南信地域の連携等も含め、広域連携によるスマートリージョン形成について提案することとしたい。

こうした検討は、本書のテーマであるスマートリージョンを、行政面での広域連携という観点から考察するものといえよう。

これまでの広域連携の取り組みの概観

[1] 広域連携の必要性・効果及び課題

「広域連携」とは、行政サービスの実施等において、複数の地方自治体がその区域を越えて協力することであるとされ（福田1頁。なお以前は「広域行政」という用語が用いられていた）、一つの自治体のみでは事務（行政サービス）を適切な形で完遂することができない次のような場合に、広域連携を行うことが必要・有効と考えられる（木村1-3頁、福田1頁をベースに筆者整理）。

㋐ 規模・行財政能力が狭小の自治体では単独で実施することが困難で、他の自治体による能力補完が必要な事務があること（消防等）

㋑ 自治体が共同で行うことが合理的・有効な事務があること

- スケールメリットが発揮される事務（上下水道等の大規模な施設の稼働、ごみ処理施設等の集約によるニューサンス縮減、職員研修等の発生頻度が高くない事務等）
- 地域差がなく共通の尺度で共同処理を行うような事務（介護認定審査等）
- 専門的技能を備えた職員を集約するような事務（救急医療、税滞納処分等）

㋒ 広域的な企画や調整が必要・有効な事務があること（地域開発計画、観光、流域水質保全等）

他方、広域連携に関しては、意思決定が困難な場合がある、事務の実施主体等の移動を伴うために責任の所在が不明確になる場合がある、住民による監視の目が届きにくくなり住民の意思も反映されにくくなるという課題も指摘され（福田2頁）、さらに、（特に広範囲の場合の）距離による（情報交換や調整の）コストの増大という問題も生じる（伊藤（2017）19頁参照）。

市町村の広域連携は、上述のような必要性に基づいて、自治体運営の一環として市町村自らの判断で行われるものであるが、国による（インセンティブ付与等の）施策・構想によって広域連携が進められる場合も多い。以下、その内容を、地方自治行政の広域連携施策、国土計画の広域計画の構想について概観する。

[2] 地方自治行政における広域連携施策[注2]

1 施策の経緯

戦後の市町村の広域連携は、昭和の大合併（1953～1961）後に、高度成長期の三大都市圏への人口移動、地方圏の過疎化、生活圏の広域化等を受けて、以下の施策が行われた。

- 広域市町村圏[注3]（1969年（1970年恒久化））〔圏域人口概ね10万人以上〕
- 大都市周辺地域広域行政圏（1977年）〔圏域人口概ね40万人程度〕

（1991年から両圏は併せて「広域行政圏」と総称され、2008年4月1日現在で359の広域行政圏（市区町村数1702）〔広域市町村圏334（同1503）、大都市周辺地域広域行政圏25（同199）〕が形成されていた）

その後、平成の大合併（1999～2010）終了の時期とあわせて、約40年間講じられた上記施策は終了し[注4]、人口減少社会に突入したことを受け、以下の施策が講じられ、現在に至っている（伊藤（2015a））。

- 定住自立圏（2008年）
- 連携中枢都市圏（2014年）[注5]

[2] 定住自立圏、連携中枢都市圏の施策について

定住自立圏施策は、主に三大都市圏外の地方圏の中心市（人口5万人程度以上等の要件あり）と近隣市町村が相互に役割分担し、連携・協力（個々に協定を締結）することにより、圏域全体として必要な生活機能等を確保し、地方圏における定住の受け皿を形成し、地方圏から三大都市圏への人口の流出を食い止める（いわゆる「人口のダム機能」）ための施策である。また、連携中枢都市圏施策は、主に三大都市圏外の地方圏における相当の規模と中核性を備える圏域の中心都市（政令市・中核市等の要件あり）が近隣市町村と連携（個々に連携協約を締結）し、コンパクト化とネットワーク化により「経済成長のけん引」「高次都市機能の集積・強化」及び「生活関連機能サービスの向上」を行うことにより、人口減少・少子高齢社会においても一定の圏域人口を有し活力ある社会経済を維持するための拠点を形成する施策である（背景には政令市・中核市で定住自立圏の取り組みが進んでいない状況があった（自治体戦略2040構想研究会17頁））。前者が生活機能の確保を中心課題としていた一方、後者は地方経済対策に重点を置いている（役重22頁）。

両施策は、前記**[1]**の㋐の観点からの連携の性格が強く、水平的・対等の連携でなく、中心・周辺という階層的な連携である点に特徴がある。また、圏域設定における市町村の主体性と柔軟性がある（以前の施策のような都道府県知事による圏域設定ではない、複眼型の中心都市をもつ圏域の設定が可能となっている）、「政策ベース」の連携をめざしている（以前の施策は「機構ベース」の連携であった）等の特徴もあるとされている（伊藤（2015a）55頁）。

両施策については、基幹的な生活関連機能サービスを中心都市が提供すれば、周辺市町村の行政機能や自治機能の空洞化が進む可能性がある（平岡80頁）、両施策が併存することで定住自立圏の活力・人口が却って低下・減少するなど両施策は共存不可能なものである（外川36-39頁）、両施策の対象とならない中山間地域や離島などの地域は消滅を容認している（外川36-39頁）などの問題点も指摘されている。また、観光振興、災害対策など連携しやすい取り組みは多いが、公共施設の役割分担・再編、広域的なまちづくり等の地域的な利害調整を伴う分野の取り組みは少ない実態となっている（第32次地方制度調査会答申16頁、瀬田(2020) 12頁）。

[3] 国土計画における広域計画の構想

国土計画においても、交通、産業活動、生活活動等の広域化を踏まえた広域計画として、圏域の構想などが打ち出され、地方自治行政の広域連携施策に影響している面もみられるため[注6]、以下概観することとしたい。

1 広域計画の経緯

圏域に関連するものとして、新全総では広域生活圏、三全総では定住圏、五全総では国土軸・地域連携軸などが示されている[注7]が、その内容をみると、生活機能面に着目した比較的狭い圏域（広域生活圏、定住圏）、多様な機能面に着目した生活圏域を超えたより広域の圏域（国土軸、地域連携軸）の差異が見られる[注8]。

2 地域連携軸

以下では、構成自治体が多い市町村広域連携について検討する上で参考になると思われる五全総で示された地域連携軸について見る。

ア）五全総（1998）の地域連携軸

（多自然居住地域の創造など）四つの戦略の一つとして「地域連携軸の展開」が掲げられ、その内容は、「異なる資質を有するなどの市町村等地域が、都道府県境を越えるなど広域にわたり連携することにより、軸状のつらなりからなる地域連携のまとまり」とされ、「地域連携軸は、地域の持つ資源、魅力を広域的に共有し、相互の機能分担と連携を進めるもので」あり、「地域間の連携により、諸機能の効率的配置及びその効果的な利用、観光を始め地域産業の振興等が行われ、活力ある地域が形成される」とされている注9。

イ）地域軸

次に、地域連携軸とも関連する理論として、矢田編（1996）で唱えられた「地域軸」についてみる。同書において「地域軸」の捉え方は論者により若干の差異があるが、矢田（1996）4頁では、「中枢・中核都市を含む地方拠点都市のなかで比較的近距離にある複数の都市を意識的に結合して、より規模が大きく、より多様な機能が集積する、事実上のコナベーション（都市連合）の連続帯」として捉えており、「国土軸戦略と地方拠点都市戦略の中間的性格」のものとされている。その上で三つの類型を整理しているが、第1の類型の例として福岡―北九州をあげている。

また、森川（1996）23頁では、（コナベーションに関する記述であるが）「最初は機能的に強い競合関係にあるが、各都市が存続するためには次第に文化機能や経済機能の面で機能分化してゆき、双子都市・三ツ子都市として相互に補完的関係を形成するようになる」とされている。

[4] 小括 ――今後の方向性を考えるうえでのポイント

以上みたように、現在進められている地方自治行政における広域連携施策は一定の役割を果たしているが、問題点も有する。また、機構ベースでなく、政策ベースの広域連携が指向されている。国土計画の分野では、実際の国土計画上も、理論上も、各都市が相互の機能分担と連携を進め、生活圏域を超えた広域の地域軸を形成していく重要性が示されている。

これらを踏まえ、今後の広域連携の方向を考える上では、市町村の自主的・主体的な判断による両施策によらない任意の広域連携も可能であるという点（三大都市圏等でも定住自立圏・連携中枢都市圏の施策によらない広域連携注10が行われている）、生活圏域を超えた経済活性化を含めたより広域の連携も重要であるという点、さらに、例えば同等規模・能力の自治体が連携をする場合は、（両施策による階層的な連携でなく）前記［1］の㋑㋒の観点から、協定等により水平的・機能分担的・相互補完的な広域連携を行うことも有効と考えられる点注11を考慮することが重要と思われる。

今後の広域連携の方向
――構成自治体がより多い広域連携、多核型の広域連携

[1] 今後の広域連携の検討の視点

広域連携の対象となる事務（行政サービス）が一定程度の対象人口等を前提としているとすると、今後、さらに人口減少が進む中で、1節の **[1]** でみた広域連携の必要性・効果を確保するためには、より多くの構成自治体による広域連携を展開していくことが、（事務の内容にもよるが）一般的には必要・有効であると考えられる注12。ただし、その際に、多くの自治体が関係することで意思決定が困難になる、距離拡大によるコストが増大するといった問題点が生じることも想定されるが、デジタル技術の活用により、それらの問題が低減されることが期待され注13、加えて前者の問題点については、下記 **[2]** の2段階の進め方によることで、困難さを一定程度低減することができると考える。

また上述したように、機構ベースでなく、政策ベースで広域連携を進める視点や、同等規模・能力の自治体が連携をする場合は、連携中枢都市圏施策等によらない任意の連携により、双子都市のような多核型の広域連携を形成し広域で構成自治体の多い地域軸を展開していく視点も有効であると考えられる。

加えて、従来は、行政サービスを提供する行政サイドの視点から、行政上の効率化等のための広域連携が中心であったと考えられるが、国民の生活様式の多様化や企業活動の変化等にも対応して多様な選択肢を提供するという住民等のサイドの視点も加えて広域連携を進めることが重要と考えられる。

[2] 今後の広域連携の方向

これらを踏まえ、広域連携の展開の方向として、まず、後述するような防災・医療、産業振興・観光振興等の分野において、構成自治体がより多い市町村広域連携を指向することの重要性を確認しておきたい。

そして、構成自治体が多い広域連携を形成するために、現在形成されている広域連携（連携中枢都市圏施策等によるものに限らない）をベースにした上で、以下のようなスキームにより連携を進めることが一つの方向として有効と考える。

ⅰ）圏域一体方式

現在形成されている複数の広域連携の圏域を一体化した圏域を形成する。

ⅱ）圏域間連携方式

現在形成されている複数の広域連携の圏域について、圏域間で連携を行う協定等を締結する[注14]。

ⅰの方式は、多くの自治体が一度に協議・合意する調整コストの大きさや合意形成の困難さ等から直ちには難しいと考えられるとすると、（下記の進め方も含め）ⅱの方式による方が現実的である可能性がある。また、ⅱの方式は、政策ベースでの広域連携に、より適合的である。

そして、ⅱの方式による場合で、各圏域の中心都市が政令市など同等規模・能力の都市であるような場合においては、以下のような2段階の進め方で、多核型の広域連携を形成していく方法が有効であると考える。

①まず、同等規模・能力の中心都市において共同で実施する取り組みや機能分担・相互補完的に実施する取り組みを決定する。

②次に、中心都市において決定した取り組みを、近隣自治体にも波及させる、すなわち、近隣自治体でも連携して実施する（例えば、既に形成されている連携中枢都市圏では、①で決定された取り組みを連携中枢都市と各近隣市町村の連携協約で盛り込む等）。

なお、この取り組みの推進にあたっては、広域連携の課題とされる責任の所在が不明確になる場合がある等の点に配慮して進める必要がある。

具体的な連携内容としては、多くの自治体が共同で、あるいは役割分担して行う取り組みや、相互支援的な取り組みとして、防災・医療（災害時の相互支援、ドクターヘリ広域運用等）、産業振興・観光振興（スタートアップ等起業支援、観光客誘致等）、住民サービス（住民交流イベント、総合相談窓口設置、施設役割分担・相互利用等）などの取り組みが考えられる。加えて、今般のコロナ禍に関連した取り組みとして、テレワークの進展により、居住地の選択が、職場近接性より居住環境・子育て・余暇等の要素を重視することとなると、移住（ワーケーション、二地域居住も含む）の促進の取り組みを行うに際して、様々なニーズ（大都市圏へのアクセスがいい地域、自然に恵まれた地域など）に応え、より多くの居住地選択の候補を提示することができるよう、一覧性のある移住促進サイトの作成、PR イベントの開催、相談窓口の設置などの連携を行うことが考えられる（企業・オフィス立地も同様の点がいえ、企業誘致でも同様の連携が考えられる）。

③ 新東海地域における広域連携によるスマートリージョン形成

以下では、上述の内容も踏まえ、具体の地域での広域連携の展開の姿として、リニア中央新幹線開通により形成が想定されるスーパーメガリージョンとの関係も念頭に、現在の東海道新幹線・東名高速道路など幹線交通を中心に発展してきた地域における広域連携のあり方を検討することとしたい。その際に、現在でも広域連携の取り組みがなされている、しずおか中部連携中枢都市圏、三遠南信地域の両地域をあわせた区域である新東海地域について、より広域で構成自治体数が多い市町村広域連携のあり方について検討することとしたい。

[1] 新東海地域の特徴

㋐ 市町村数（45市町村）、人口（約357万人）が多く、区域の範囲も広く、静岡県・愛知県・長野県の3県越境の地域である。南部の地域は太平洋に面し温暖な気候に恵まれ、南信地域は天竜川の川筋・谷筋の自然豊かな地域である。

（参考にみると、連携中枢都市圏で市町村数が最大のものは広島広域都市圏28市町（3県越境）、圏域人口ではさっぽろ連携中枢都市圏260万人）

㋑ 静岡市（人口約68万人）・浜松市（約79万人）という二つの政令市を有する。また、豊橋市（約37万人）が中核市に指定されている。

㋒ 東海道新幹線・東海道線、東名・新東名高速道路等の東西軸のネットワーク、飯田線、整備中の三遠南信自動車道等の南北軸のネットワークでつながり、リニア中央新幹線ともつながる。

㋓ 東京と名古屋の間に位置する（新幹線ひかりで、静岡駅・東京駅間は約1時間、浜松駅・名古屋駅間は約30分（静岡駅・浜松駅間は約20分））。

㋔ 浜松市を中心にものづくり産業の蓄積がある。

㋕ 他方、歴史には江戸時代の藩が異なり、現在でも、三遠南信地域、しずおか中部連携中枢都市圏の各圏域内での連携はあるが、両圏域間の連携はあまりみられない。

㋖ 東海・東南海地震や富士山噴火のリスクが高く、また、リニア中央新幹線開通による東海道沿線の地域経済への影響が懸念される。

[2] 新東海地域における広域連携の現在の状況

新東海地方において、これまで様々な広域連携・広域計画の取り組みが行われてきているが注15、現在の取り組みをみると、以下のようなものがある。

1 しずおか中部連携中枢都市圏、三遠南信地域等の各圏域内の取り組み

i）しずおか中部連携中枢都市圏

①圏域全体の経済成長のけん引（圏域経済拡大支援事業、街道観光プロモーション事業等）、②高次の都市機能の集積・強化（鉄道結節点改善事業、大学連携事業等）、③圏域全体の生活関連機能サービスの向上（移住促進事業、圏域内市町職員人事交流等）の取り組みが行われている。

ii）三遠南信地域

重点的に推進する七つのプロジェクトとして、①交通ネットワーク形成（リニア中央新幹線と既存交通網との効果的な接続の推進、リニア中央新幹線開業後の東海道新幹線の利用促進等）、②圏民の一体感醸成（歴史文化の共有・発信等）、③地域の稼ぐ力強化（農林水産物販路拡大、新産業創出等）、④住むなら三遠南信（移住・定住支援事業等）などのプロジェクトが取り組まれている。

iii）その他の取り組み

そのほか、定住自立圏として、湖西市定住自立圏、飯田市定住自立圏、伊那市定住自立圏が形成されており、また、静岡県中部5市2町首長会議、東三河ビジョン協議会、東三河広域連合、遠州広域行政推進会議、南信州広域連合、上伊那広域連合などの広域連携の取り組みも行われている。

2 三遠南信地域、しずおか中部連携中枢都市圏の両圏域間の取り組み

静岡市・浜松市首脳会議（G2）が行われているが、（ホームページ等で確認した限りでは）両圏域間の連携はあまり見受けられない。

[3] 新東海地域における多核型・多自治体型の広域連携によるスマートリージョン形成の提案

2節で検討した今後の広域連携の方向を踏まえ、下記のスキーム、内容による、新東海地域における多核型・多自治体型の広域連携について提案する。

1 スキーム

i) 圏域一体方式

現在のしずおか中部連携中枢都市圏、三遠南信地域を一体化させ、46市町村による新たな広域連携の圏域を形成する注16。

ii) 圏域間連携方式

現在のしずおか中部連携中枢都市圏、三遠南信地域について、圏域間で連携を行う協定等を締結する。

iの方式は、現在のしずおか中部連携中枢都市圏、三遠南信地域が形成されてきている歴史的経緯や、多自治体が一度に協議・合意する調整コストや合意形成の困難さ等から直ちには難しいと考えられるとすると、iiの圏域間連携方式の方が現実的である可能性がある。

そして、iiの方式による場合、各圏域における政令市で人口・都市機能等が集積している静岡市・浜松市をベースとして、以下のような2段階の進め方で、多核型の広域連携を形成していくことが有効であると考える。

①まず、静岡市・浜松市において共同で実施する取り組みや機能分担・相互補完的に実施する取り組みを決定する注17(なお、豊橋市を加えることも考えられる)。

②次に、その決定した取り組みを、近隣自治体にも波及させる、すなわち、近隣自治体でも連携して実施する(例えば、しずおか中部連携中枢都市圏では、①で決定された取り組みを、静岡市と各近隣市町村の連携協約で盛り込む等)。

2 連携の内容

具体的な連携内容としては、2節を踏まえ考えると、現在、しずおか中部連携中枢都市圏、三遠南信地域等の各圏域で行われている取り組みをベースに、それを新東海地域でさらに展開する以下のような取り組みを行うことが、本書各章でも記述されているスマートリージョンの内容とも軌を一にし、新東海地域におけるスマートリージョン形成の上で有効と考える。

㋐ より広域で多くの自治体が参画することの強みを活かした共同の取り組み

多くの自治体が共同で行うことで発揮されるスケールメリットを活かし、また住民等に対して選択肢の多様性を提供する取り組みとして、産業振興・観光振興（スタートアップ等起業支援、販路開拓、専門アドバイザー派遣、観光情報発信、観光客誘致・受入環境整備等）、住民サービス（住民交流イベント、出会いサポート、地域共通ポイント、休日医療体制整備、総合相談窓口設置、職員共同研修等）等が考えられる。加えて近年のコロナ禍を踏まえた移住促進や企業誘致の取り組みとして、一覧性のある移住促進サイト[注18]や企業誘致サイトの作成・運営、相談窓口の設置などの連携が考えられる。

㋑ リスクの共有する多自治体間の相互支援、共同の取り組み

東海・東南海地震や富士山噴火という共通するリスクに対し、災害時の相互支援等を共同で行う取り組みが考えられる。また、リニア中央新幹線開通による東海道沿線の地域経済への影響に関して、新幹線停車駅の拡充など、東海道新幹線の利便性向上や、産業・観光面などの地域の新たな発展に向けた取り組みも考えられる。

㋒ 静岡市・浜松市の政令市間の連携の強みを活かした機能分担・補完的な取り組み

政令市ならではの大規模施設（美術館、博物館、ホール、拠点病院、コンベンション会場等）についても、両市で分担して整備・再編・維持を行い、近隣自治体住民も含めた相互利用の仕組みを構築することが有効であると考えられる。

※本稿の内容は、筆者個人の見解であり、筆者の属する組織としての意見ではないことを申し添える。

注

1 第32次地方制度調査会答申「2040年頃から逆算し顕在化する諸課題に対応するために必要な地方行政体制のあり方等に関する答申」（2020）でも、「市町村においては、他の地方公共団体と連携し、住民の生活機能の確保、地域の活性化・経済成長、災害への対応、地域社会を支える次世代の人材の育成、さらには、森林や農地の保全、持続可能な都市構造への転換、技術やデータを活用した都市・地域のスマート化の実現などのまちづくり等に広域的に取り組んでいくことが必要である」と

されている。

2　地方自治法上の主な広域連携の制度としては、一部事務組合、広域連合、協議会、機関等の共同設置、事務の委託、連携協約などがある。前者二つは組合制度で、別の法人（特別地方公共団体）を設置するものである。なお連携中枢都市圏施策は連携協約の制度により行われている。

3　広域市町村圏施策に理論的な基礎を与えたのは、自治省の要請による国土計画協会の『地域社会の変動に対応する市町村行政のあり方に関する調査研究』（1968）とされる（佐藤234頁）。

4　ただし、この施策により設置された広域市町村圏事務組合、広域市町村圏消防本部などは、引き続き存続している。

5　地方中枢拠点都市圏（総務省）、高次地方都市連合（国土交通省「国土のグランドデザイン2050」）、都市雇用圏（経済産業省）の構想が「まち・ひと・しごと創生総合戦略」（2014）において統合されたものである。

6　例えば、新全総（1969）の広域生活圏構想が、自治省の広域市町村圏施策（及び建設省の地方生活圏施策）として具体化された。国土計画と広域連携施策の関係については、伊藤（2015a）52頁、横道（2009）4頁、瀬田（2020）8頁参照。

7　広域生活圏は例えば地方の都市地域にあっては半径20km～30km程度の広がりを持つもの、定住圏は全国でおよそ200～300構成されるものとされ、地域連携軸は主な構想として31の構想が取り上げられている。なお、国土計画ではないが、国土審議会基本政策部会報告（2002年）等では「二層の広域圏」として人口600～1000万人程度以上の「地域ブロック」（9ブロック）と人口30～50万人程度以上の「生活圏域」（82圏域）が示されている。

8　なお、第三次国土形成計画（2023年7月）において示されている地域生活圏は、生活機能面に着目した比較的狭い圏域と捉えることができる。

9　地域連携軸については、五全総を受けて具体の施策が展開されたような状況は必ずしも見受けられないが、他方、その後の国土計画の検討に際して問題点等が指摘されたような状況も見受けられない。

10　第31次地方制度調査会答申「人口減少社会に的確に対応する地方行政体制及びガバナンスのあり方に関する答申」（2016年）においても、「三大都市圏は、規模・能力は一定以上あるが昼夜間人口比率が1未満の都市が圏域内に数多く存在するため、地方圏のように、核となる都市と近隣市町村との間の連携ではなく、水平的・相互補完的、双務的に適切な役割分担を行うことが有用である。」とされている（第32次答申でも同旨の記述がある）。
伊藤（2015b）8頁においても、三大都市圏において中枢性が低い近郊都市が連担している場合、中心都市を設定することができないので、「水平的・相互補完的・双務的に行政サービス提供の連携体制」である「複眼型（compound）ないし多核型（polycentric）のスキーム」を構築することが考えられるとしている。

11　横道（2013）16頁も、「各市町村が経営主体としてそれぞれの経営判断に基づき決めていくという観点からすれば、期限も含めてその内容を自由に決めることができる協定や契約のような方式が広域連携の制度としてあることが望まし」いとしている。瀬田（2020）14頁では、「現在の定住自立圏よりも水平的で、構成市町村がパラレルな関係となる広域連携を推進し、水平的な連携から最適の解を見つけるよう促す仕組みがあってもよい」としている。なお上記注10も参照。

12　ただし、下水処理等においては人口減少局面で「規模の経済が働いて大きいほど効率的」という仮説が成り立たなくなってくるという指摘もある（瀬田（2010）69頁）点に留意が必要である。

13　なお、デジタル技術の活用により、必ずしも市町村が地理的に隣接・近接していなくても広域連携を行うことも可能であり、実際上も遠隔型連携も行われている（日本都市センター（2017）参照）ところであるが、他方で、調整コストなどは、より近くに所在し、日ごろから互いの状況を把握しやすい方が低くなることも想定され、また、対面の交渉も行いやすいと考えられ、加えて、隣接・

近接し面的一体性のある区域では一定の地域イメージ・地域ブランドが形成される効果も期待できる（下記注18参照）。

14　横山5頁では、連携中枢都市圏が近隣の都市圏と協力関係・補完関係のネットワークを形成し、都市圏連盟･協議会を形成することについて言及し、また、定住自立圏構想推進要綱（2008）では、「複数の定住自立圏が、より広域的に連携していくことが期待される」とするなど、圏域間での連携の重要性が指摘されている。

15　広域市町村圏は静岡庵地区（静岡市等）など各地域で形成され、モデル定住圏に東遠（掛川市等8市町）、東三河（豊橋市等19市町村）が指定されていた。また、工業整備特別地域に、東三河地区（豊橋市、豊川市、蒲郡市、新城市）が指定されていた。五全総の地域連携軸の構想は、中部地域では、三遠南信軸等が記載されているが、静岡市と浜松市を連携を進めることする地域連携軸は記載されていない。

16　これには、46市町村で広域協議会を結成する等の既存の制度のよる方法が考えられる。なお、静岡市・浜松市を中心市として多核型の連携中枢都市圏を形成することは、現行の連携中枢都市圏施策では想定されていないとも考えられるが（特例の複眼型連携中枢都市でみても自動車で（小牧22頁参照）「概ね一時間以内の交通圏」という要件に該当しない（静岡市役所と浜松市役所は東名高速利用で約80分））、連携中枢都市圏施策の運用改善や要綱見直しも検討に値するのではないかと考える（なお、前述の第31次地方制度調査会答申7頁では連携協約の活用が言及されている）。

17　政令市間の連携としては、川崎市・横浜市における待機児童に関する連携協定、福岡市・北九州市における市立施設等の無料等での相互利用の取り組みなど、近接する政令市間での連携事例が見受けられる。

18　具体的作業のイメージとしては、静岡市・浜松市で検討・協議してウエブサイトを作成し、そのプラットホームに周辺構成自治体もコンテンツを加えることで、（「移住を考えるなら温暖な“新東海地域”に」などのキャッチフレーズによる）新東海地域の移住促進サイトを立ち上げるようなことが想定される。

引用・参考文献

伊藤正次（2015a）「自治体間連携の時代？――歴史的文脈を解きほぐす――」『都市問題』106（2）、同（2015b）「人口減少社会の自治体間連携：三大都市圏への展開に向けて」『都市とガバナンス』23号、同（2017）「遠隔型連携の特質と類型」（下記・日本都市センター編（2017）収録）

太田秀也（2023）「今後の市町村広域連携に関する一考察」『人と国土21』第48巻6号

木村俊介（2019）『［改訂版］広域連携の仕組み：一部事務組合・広域連合・連携協約の機動的な運用』

小牧兼太郎（2016）「連携中枢都市圏構想推進要綱の改正（都市（圏）条件の確定）について」『地方自治』821号

佐藤俊一（2006）『日本広域行政の研究――理論・歴史・実態――』成文堂

自治体戦略2040構想研究会（2018）「自治体戦略2040構想研究会 第二次報告」

瀬田史彦（2010）「地域活性化と広域政策」（大西隆編著『広域計画と地域の持続可能性』（学芸出版社）収録）、同（2020）「人口減少局面のまちづくりと広域連携の展望：定住自立圏施策の実態の考察より」『地方自治』872号

外川伸一（2016）「『地方創生』政策における『人口のダム』としての二つの自治制度構想：連携中枢都市圏構想・定住自立圏構想批判」『山梨学院生涯学習センター紀要』20号

日本都市センター編（2017）『自治体の遠隔型連携の課題と展望――新たな広域連携の可能性――』

平岡和久（2017）「地方創生政策下における自治体間連携をめぐる現状と課題」『季刊自治と分権』68号

福田健志（2021）「市町村の広域連携：連携中枢都市圏構想・定住自立圏構想を中心に」『調査と情報』

1127号
森川洋（1996）「都市システム理論における軸・ネットワーク概念と国土計画への応用」（下記・矢田俊文編（1996）収録）
役重眞喜子（2022）「連携中枢都市圏構想をめぐる評価と課題――先行研究のレビューとみちのく盛岡広域連携都市圏の事例調査をふまえて――」『総合政策』23巻
矢田俊文編（1996）『地域軸の理論と政策』大明堂
矢田俊文（1996）「地域軸の概念と意義」（上記・矢田俊文編（1996）収録）
横道清孝（2009）「広域行政の新展開に向けて」『公営企業』40（12）、同（2013）「時代に対応した広域連携のあり方について」『都市とガバナンス』20号
横山彰（2017）「多心型都市圏と連携中枢都市圏」（第587回地方財政研究会）

特別寄稿

東三河フードバレー構想

株式会社サーラコーポレーション
代表取締役社長兼グループ代表・CEO

神野吾郎

愛知県東部に位置する東三河地域は、中核市の豊橋市を中心に8市町村で構成されています。海、山と豊かな自然に恵まれ、その土地を生かした農業に加え、多種多様な製品を作っているものづくりも盛んなバランスの取れた地域です。一方で、全国の地方都市と同様に少子高齢化、人口減少が進んでいます。そして、東京－名古屋間を最速40分で結ぶリニア中央新幹線の開通による「リニア新時代」を迎えて、豊橋、浜松、静岡など東海道沿線の都市は、国内はもとより世界中から人を惹きつける魅力を持ったまちになっていくことが課題です。このため、地域に眠る人材、資源を活用し、価値を高めることで訪れたくなる地域をめざして取り組んでいます。

このような時代にあって、持続可能な東三河をめざすために、重要なテーマになるのが「食」と「農」です。人口約75万人の東三河は、全国有数の農業地帯であり、キャベツや大葉といった全国トップクラスのシェアを誇る農産物がある一方で、幅広い品目の野菜や果物、畜産物があり、独自の生産方法で品質にこだわった農畜産物も多い地域です。また、太平洋、三河湾と海に近く、海の幸にも恵まれています。量、質とも魅力的な地域なので、食と農を切り口にしたまちづくりが可能であり、これこそが日本の成長分野であるとともに、世界中から人を惹きつけるための東三河の未来戦略だと考えています。

例えば、人口約63万人のアメリカ合衆国オレゴン州ポートランドは、食と農、ものづくり、スポーツ、健康など独自の特徴を持ち、地域活性化の先進例、あるいは住みたい都市として、世界中から関心を集めています。地域資源が生み出す価値を高めて外部に発信することで、人々をまちに惹きつけています。東三河は、ポートランドのようなまちづくりが可能な条件のそろった地域であり、その実現の推進力となるのが本章で紹介する「東三河フードバレー構想」です。

私は、2008年に東三河の玄関口として、当地域を訪れるお客さまのおもてなしの拠点として、ホテルアークリッシュ豊橋をオープンさせました。そして、このホテルの重要な機能のひとつが「東三河の食文化の創造と発信」です。「東三河フードバレー構想」は、このホテルのオープン、レストランの運営をきっかけに、数多くの生産者、料理人、加工業者、ビジネスプロデューサーとその実現に向けて取り組んでいるものです。

まずは、構想の基盤にある東三河地域の特色からお話します。

1 東三河地域の特色

[1] 東三河を豊かな土地にした背景

1 豊川用水、豊川流域圏

地理的な特徴として、東三河地域の真下には中央構造線が走っています。太古の昔、日本列島がアジア大陸の一部だった頃の断層で、約1千kmに及びます。「東三河」と言われる地域は、中央構造線がつくり出した豊川(とよがわ)水系でつながり、上下流域の8市町村からなります。この水が下流域の生活と産業を支え、上下流域には密接な関係があることから「豊川流域圏」と呼ばれています（図1）。

東三河が豊かな地域になる上で重要な役割を果たしたのが、1968年に通水した豊川用水です。干害に悩まされていた東三河を潤し、この地域の農業や工業を飛躍的に発展させたのです。奥三河に降った雨を、豊川の支流に当たる宇連川に設けられた宇連ダム（新城市）と大島川の大島ダム（同）に貯めつつ、豊川に合流させて、水路で平野部の豊橋、豊川、蒲郡、田原、新城の5市と県境を越えた静岡県湖西市に送るという壮大な水供給システムが豊川用水で、流域各地の農業、工業、水道用に使われています。

豊川用水を提唱したのは、田原市高松町出身の政治家で、県議会議員、衆議院議員、豊橋市長を務めた近藤寿市郎です。大正時代の1921年にインドネシアで視察した灌漑用水がヒントになりました。当時としては夢のような話であり、相手にされなかったそうですが、地元の人々を説き、国や愛知県へ精力的に働きかけを行いました。戦争のため実現困難な状況が続きましたが、地元が一体となり1949年に着工にこぎつけ、20年近くをかけて完成に至ったのです。

用水の受益地では、通水当時、約370億円だった農業産出額が1600億（2020年、農林水産省）に、約3500億円だった製造品出荷額等は約5兆4千億円（2020年、工業統計調査）に増大したことからも、豊川用水の恩恵が大きなものであったことが分かります（図2）。

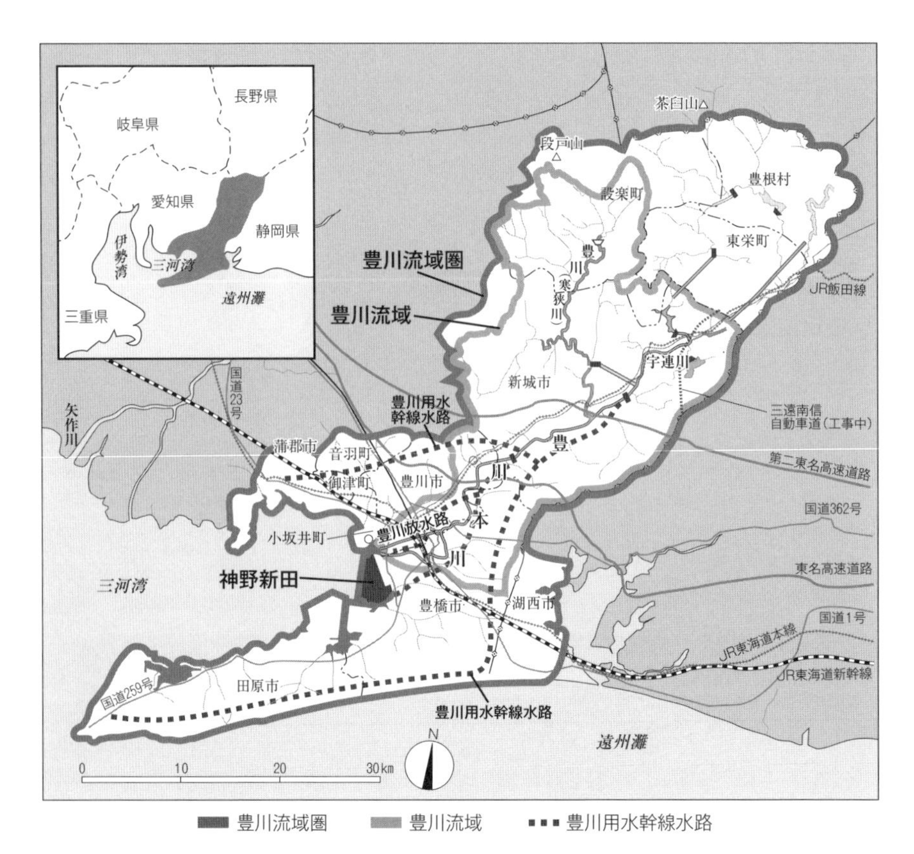

図1　豊川水系と神野新田（出典：国土交通省パンフレット「とよがわの川づくり」、同HP「豊川流域図・位置図」https://www.mlit.go.jp/river/toukei_chousa/kasen/jiten/nihon_kawa/0506_toyokawa/0506_toyokawa_00.html、神野新田 https://mourisinden.jimdofree.com より筆者作成）

2 神野新田

もう一つ、この地域の農業の礎になったのが、豊橋市西部に広がる三河湾に面した神野（じんの）新田で、明治時代の1896年に完成し、既に125年余りが経っています。

当時、山口県出身の毛利祥久氏が完成させた「毛利新田」があったのですが、濃尾地震（1891年）や台風による高潮で壊滅してしまいました。その後、売りに出されたこの毛利新田を購入したのが、名古屋の実業家だった神野金之助です。1893年、干拓に着手し、堤防に耐水性の高い人造石という最新技術を用いる

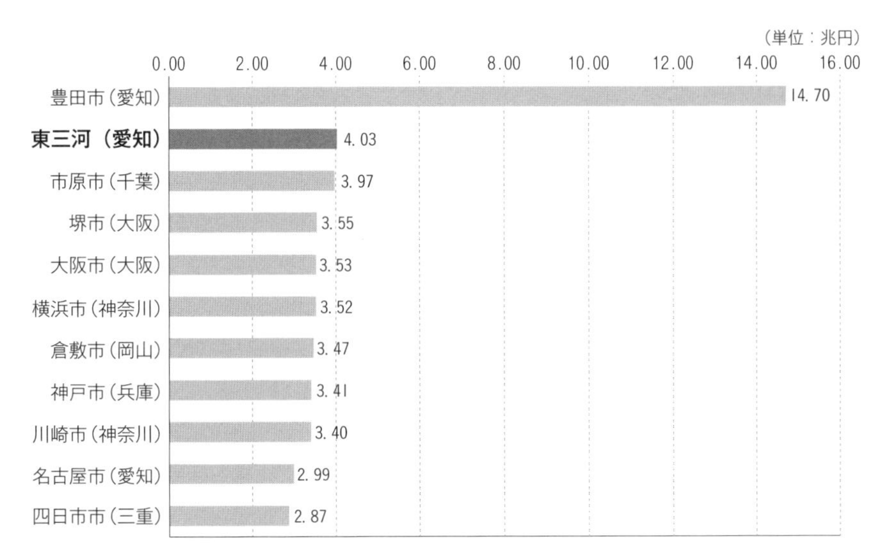

図2　東三河の「地域力」～工業～／製造品出荷額の全国上位10市町村との比較
(出典：経済産業省「令和3年 経済センサス－活動調査」)

とともに、波を打ち返すことのできる高さと角度にするなど堤防を強化し、4年後に完成させました。

現在では米だけでなくキャベツ、レタス、ブロッコリーなどの産地となっている神野新田ですが、当時は塩分を含んだ砂地で痩せていたそうです。そこで、豊橋に置かれていた軍隊と交渉し、入手した馬糞などで土を肥やして、ようやく米ができるようになったという苦労話があります。

3 温暖な気候、海、山に囲まれた地形

東三河地域は、南に太平洋、西に三河湾、北は県内最高峰の茶臼山がある山間部など、海と山に囲まれています。温暖な気候ですが、茶臼山高原など山間部の奥三河は雪が積もることもあり、豊かな自然が四季折々の表情を見せてくれる地域でもあります。

東三河は日照時間が長く、政府統計の総合窓口(e-Stat)によると、愛知県の2020年の日照時間の平均値は2216時間です。全国平均(1969時間)を大幅に上回る長さとなっています。

[2] 日本トップクラスの農業生産地

1 農業産出額

豊川用水の恩恵をはじめ、土地や気候に恵まれ、特に田原市、豊橋市は全国屈指の農業地帯へと発展しました。農林水産省の統計によると、2020年の農業産出額は、田原市が824億7千万円で全国2位、豊橋市は387億1千万円の13位であり、東三河地域全体では1500億円余となり、日本を代表する農業地帯と言えます。

このような東三河地域ですが、豊川用水の通水以前は水不足に悩まされ、作物も採れなかった地域でした。明治時代から昭和前半にかけては、見晴らしのいい地形などを生かし、田原、豊橋には軍隊の施設、演習場がありました。

1945年の終戦以後も、農業が順調に発展したわけではありません。「やせた原野を開墾し、言葉では言い尽くせない数多くの苦難を乗り越え、作物ができる農地を作り上げた」「水がなく、ため池から桶で水をくみ、牛車で運んだ」、といった先人たちの言葉が残っています。バルブをひねるだけで水が出るようになったのは、豊川用水の通水はもちろんですが、先人の皆さんの苦労と努力のおかげです。

2 全国トップクラスの農業生産地

いまや東三河地域では、多種多様な農産物が生産され、関東、関西などの市場に送られています。実は、愛知県は農畜産物の産出額で全国トップクラスで、東三河がその主要産地になっています(図3、表1)。

代表的なのはキャベツで、2021年の出荷量は全国一であり、主要産地は田原市、豊橋市です(同年の産出額は181億円で、全国2位、19.8%のシェアです)。

しそも、主に豊橋や豊川、田原の3市で作られ、愛知県の産出額は130億円、全国シェア71.8%で全国一です。豊橋温室園芸農業協同組合では、青じその若葉を摘み、「大葉」の呼び名で香味野菜として販売しています。同農協大葉部会は土づくりにこだわりながら大葉を栽培し、日本一の生産量を維持し続けています。

花きでは、田原市、豊川市を中心に温室で作られているきくが愛知を代表する品目です。産出額は196億円で、愛知県は全国一を誇ります。

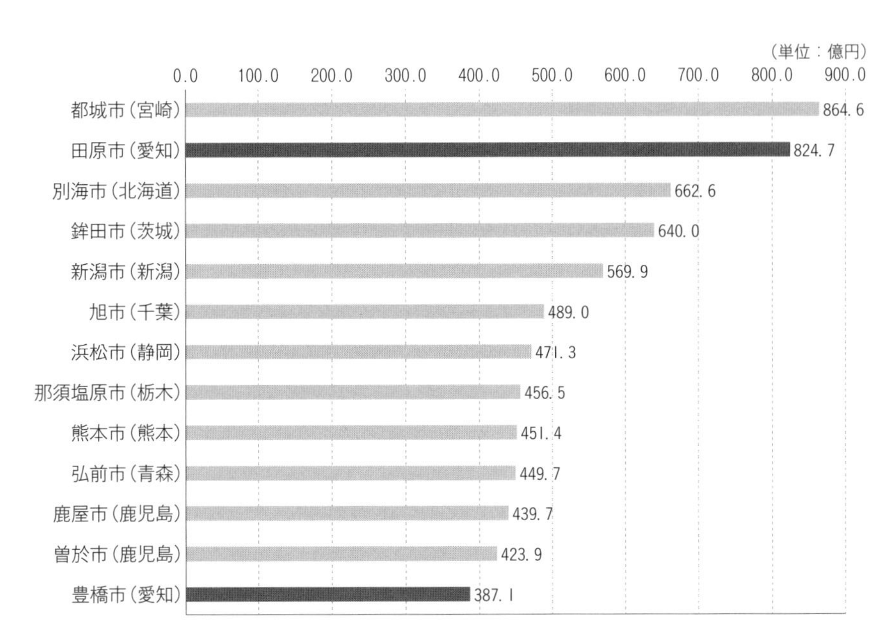

図 3　東三河の「地域力」～農業～／農業産出額の全国上位市町村
（出典：農林水産省「令和 2 年 市町村別農業産出額」）

表 1　東三河が主要産地となっている愛知県がシェア全国上位の農畜産物（2021 年）

品目	産出額	全国順位	全国シェア	出荷量	全国順位	全国シェア	主要産地
キャベツ	181 億円	2 位	19.8%	252,200t	1 位	19.0%	田原市、豊橋市
しそ	130 億円	1 位	71.8%	3,860t	1 位	46.7%	豊橋市、豊川市、田原市
きく	196 億円	1 位	36.4%	44,670 万本	1 位	34.4%	田原市、豊川市
ばら	23 億円	1 位	15.0%	3,220 万本	1 位	16.6%	豊川市、田原市、西尾市、豊橋市
シクラメン（鉢）	8 億円	1 位	11.4%	169 万鉢	2 位	11.1%	豊川市、設楽町、安城市、田原市、稲沢市
観葉植物（鉢）	85 億円	1 位	47.8%	2,150 万鉢	1 位	50.1%	田原市、西尾市、岡崎市、豊橋市、南知多町、安城市
洋ラン類（鉢）	48 億円	1 位	14.0%	297 万鉢	1 位	25.0%	豊橋市、西尾市、東海市、南知多町、東浦町
うずら卵	27 億円	1 位	62.8%	—	—	—	豊橋市、阿久比町、半田市、豊川市、常滑市

（出典：「愛知県農業の動き 2023」より作成）

他にも、豊川、田原、豊橋3市などで栽培されているばら、豊橋市や豊川市などで生産されるうずら卵などがあり、愛知県の産出額はいずれも全国一となっています。

このように東三河は、日本を代表する農業地帯に発展しました。安定した水と温暖な気候、豊かな土地に恵まれた結果と言えるのではないでしょうか。

3 多様性のある特徴的な生産者

東三河の生産者は日本の食卓に欠かせない農畜産物を安定して作り出し、首都圏などの大消費地に届けていますが、その一方で、東三河には個性的な生産者も多く存在します。

田原市の「吉田園」は、土にこだわって野菜を作っています。その土は、「完熟堆肥」と呼ばれ、とてもふかふかです。抗生物質を与えずに育てている豚の糞に、培養した有用微生物を加え、十分発酵させているそうです。農薬を使わないので草取りが欠かせませんが、安全に気を遣った独自の製法で農産物を栽培しています。また、同市の「吉田畜産」は抗生物質などの薬剤を一切使わず、健康に配慮しのびのびとした環境で豚を育てています。その肉質はきめが細かく、旨味のある赤身と甘く香りの良い脂身が特徴です。吉田園と吉田畜産は実のいとこであり、豚糞などを循環させて利用するなど、より良い生産物をめざし努力を続けています。

豊橋市の「鳥市精肉店」は、食肉の販売店でありながら、自らブランド化したあいち鴨を飼育から販売、管理まで一貫して行っています。独自配合の餌を使用する、鴨にストレスがかかりにくい環境を整えるなどのこだわりがあり、ミシュランの星付レストラン、大手航空会社のファーストクラスの機内食、G20外務省会議の晩餐に採用されました。

奥三河には、設楽町に「段戸高原牛」という肉牛を育てている「たけうち牧場」があります。標高900 m、三河の語源と言われる矢作川、乙川、豊川の水源となっている段戸山麓の国有林に囲まれた高原に牛舎があり、およそ500頭を飼養しています。夏は爽やかな風が吹き、牛がストレスなく快適に過ごせる環境です。地下深くからくみ上げる水と、飼料に地元の醸造会社「関谷醸造」の酒粕を与えて育てています。ブナ原生林が近いため、水はほぼ無菌で、きめ細かく柔らかな水です。牛舎には地元の製材工場のおが粉を敷いています。地のものを使って牛たちを飼養しているということです。

また、奥三河には、設楽町を本部にする愛知県淡水養殖漁業協同組合があります。豊川水系の寒狭川源流部の清流に養魚場があり、愛知県水産試験場の技術で「ホウライマス」と「アマゴ」を組み合わせて生まれた「絹姫サーモン」などを養殖しています。絹姫サーモンは脂がのり、プリっとした食感が特徴です。寿司や刺身のほか、川魚特有の臭みがないので、フレンチ、イタリアンの食材としても相性がいいのです。

個々の生産者がそれぞれ特徴を持って生産に取り組む一方で、「豊橋百儂人」のように生産物を横断して、それぞれのスペシャリストが集まり団体を形成して、東三河の一次産品を盛り上げる活動も行われています。無農薬レモンの河合浩樹さん（河合果樹園）を筆頭に、地元の名産である次郎柿の鈴木義弘さん（ベル・ファーム）、無農薬のお茶を育てる後藤元則さん（ごとう製茶）など、農林水産大臣賞受賞者を含む15人で構成されています。独自のプロモーションやサポーター（応援者）からの評価制度を活用して、良き伝統を守りながら革新的努力をし続ける団体です。

全国有数の生産地として、安定した数量を出荷する生産者とともに、育て方に独自のこだわりを持った特徴的な生産者も近年増えてきているように感じます。

食・農を取り巻く環境

[1] 世界の農業

1 アメリカの大規模農業

東三河地域の農業を中心とした特色について触れてきましたが、世界の農業、食に目を向けてみます。

世界有数の農産物生産国であるアメリカの農業は、広い面積で地域の気候などに適した作物を作る適地適作です。代表的な生産物はトウモロコシ、大豆、乳製品などです。生産の効率を高めるため作物を絞り込んで栽培しているのが特徴で、1種類の作物を広大な畑で作り、大型の機械を使い効率的に行います。

1人あたりの耕地面積は71.3ha（帝国書院、2023）に及び、日本は1.7haですからその差は歴然です。東京ドーム348個分の農地で大豆を生産している個人経営の農家もあります。

そして大型の農業機械導入により、短時間で作業ができ、効率が大幅に向上するので、生産性は非常に高くなっています。

2 オランダなどの高度化、自動化された農業

一方、農産物・食料品の輸出額がアメリカに次いで世界2位にランキング（農林水産省、2022）されているのがオランダです。国土は九州と同じ程度で、農地は日本の4割ほどですが、施設園芸と酪農、畜産が盛んです。施設園芸では、ICT技術を活用して高度な制御システムが構築されています。施設園芸では、早くから機械化、自動化が進められ、限られた農地でも、収量を上げるための取り組みがなされてきました。

さらに、設備投資やエネルギー費にコストがかかることから、農家は生産性やコストに対する意識が高く、経営能力に優れています。日本の農業に参考になる点が多いでしょう。

[2] 国内農業の最近の動き

国内の農業を見てみると、近年の新たな動きとして、企業や法人が農業へ参入するようになる傾向が年々強まっています。日本全国で業務を展開し、誰もが知っているようなブランドを持つメーカー、商社、金融機関、外食産業などが、新規事業として農業へ参入しているのです。

家電など生活用品の製造、販売などで知られるアイリスオーヤマは、2011年の東日本大震災をきっかけに、被災した農業者の支援として精米、米の販売を開始しました。自社が持つ販路を生かし、消費拡大につなげようとの思いです。外食、宅食などの事業に取り組むワタミは、安全な食材を提供していくため有機農業を行っています。全国に農場を持ち、採れた有機野菜を加工、ワタミグループの外食事業などに提供しています。

[3] 農の流通革命

農産物の販売方法は、市場を通じた店頭販売だけでなく、インターネットや物流の発達などで生産者の直売、事業者によるネット販売が常識の時代になってきました。消費者にとっては、自宅にいながら各地のさまざまな旬の農産物を気軽に注文でき、自宅に届けてもらえます。新型コロナウイルス禍で、ますます利用する人が増えました。

企業の農業参入の別事例として小売大手のイオンの事例を見てみます。イオンアグリ創造（千葉市）が手掛けている食材生産です。2009年に茨城県内で農場を開設して以来、全国に直営農場（2019年11月現在、20農場）を広げ、野菜や果物、米を栽培し、全国のイオングループの店舗で販売されています。生産から販売までの一貫した取り組みにより、安全安心で鮮度の高い農産物の提供をめざしています。

[4] 生産者から出荷団体、卸売事業者、小売事業者を通じて消費者に届く時代の終焉

このように日本の農業を取り巻く環境は、大きく変わってきました。一大消費地にたくさんの農産物を届ける従来の流通体制は必要ですが、一方で、生産者が直に販売したり、企業が生産から販売まで手掛けるようになったりしています。

そして、消費者の中には、「少量でも、おいしいものを食べたい」という声もあります。今後、こうした消費者ニーズが高まっていくことも考えられ、有機農業など付加価値の高い農作物が求められる傾向にあります。

3 東三河の農業のめざす姿

[1] 世界からも注目される和食

文化庁によると、四季があり、海に囲まれた日本には、諸外国の文化を巧みに受け入れながら、豊かな風土や人々の精神性、歴史に根差しつつ育んできた

多様な食文化が存在しています。日本の食文化には、器の繊細な美、それを使った美しい盛付、しつらいともてなしの心、多様で新鮮な食材、素材の味わいを活かす調理技術などの優れた特色があります。そして、こうした日本の食文化を次の世代へ継承するとともに、海外へ発信していくことも必要と思います。

日本の伝統的な食文化である和食は、味の良さはもとより、ヘルシーさも世界から注目され、ユネスコ無形文化遺産に登録されています。少し前ですが、2015年に発表された日本能率協会総合研究所などが20カ国で実施した「和食・食文化」に関する意識調査の結果があります。この中で、日本を訪れる動機は1位が「食文化・料理」でした。そして「食文化や料理がもっとも魅力」という国は、1位がイタリア（66.7％）、2位が日本（66.2％）となっています。

また、農林水産省が2021年に発表した訪日外国人旅行者の「食」への関心では、地方の郷土料理を食べることを楽しみにしていることが示されており、好きな外国料理でも「日本料理」が1位に挙げられています。

[2] 付加価値の高い生産物をめざして

前節の **[4]** で付加価値の高い農産物が求められると書きましたが、その一つとして有機農業を見てみます。有機農業推進法では、化学肥料や農薬を使用しないことと、遺伝子組み換え技術を利用しないことを基本とし、農業生産に由来する環境への負荷をできる限り低減した農業生産の方法を有機農業と定義しています。

日本でどのくらい有機農業が行われているかについてを、農林水産省のまとめを参照すると、2020年の有機農業取組面積は2万5千 ha です。これは、わが国の耕地面積の0.6％に過ぎませんが、2010年が1万7千 ha だったので、過去10年で約5割拡大したことになります（図4）。

国内の有機食品市場については、農林水産省の推計によれば、2009年で1300億円であったものが、2022年には2240億円と1千億円近く伸びています。また、2022年に同省が行ったアンケートによると、週に1回以上有機食品を利用する人は32.6％で、2017年の17.5％と比較すると2倍近い伸びを示しています。

世界ではどうでしょう。農林水産省のまとめによると、世界の有機食品市場は、2020年で約14兆2千億円（1ドル＝110円換算）となり、10年で2倍になりました（図5）。取組面積も2倍強に広がり、7490万ha。全耕地面積の約1.6％で

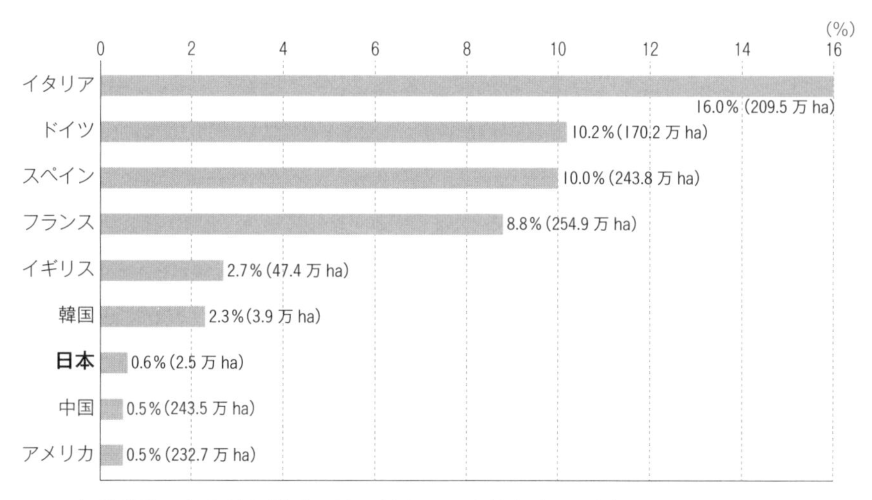

図4　有機農業取組面積と耕地面積に対する面積割合（2020年）（出典：FiBL & IFOAM The World of Organic Agriculture statistics & Emerging trends 2022をもとに農林水産省農産局農業環境対策課作成）

注：日本は有機JAS認証を取得していないが国際水準の有機農業が行われている農地面積を含む。

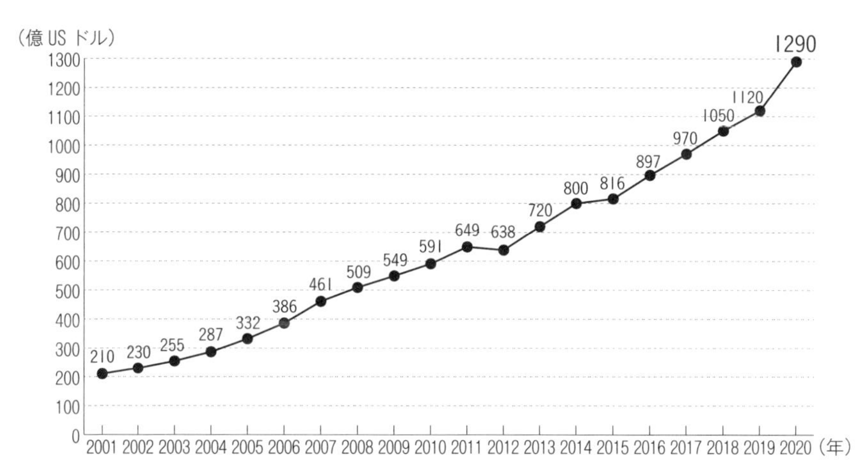

図5　世界の有機食品売上の推移（出典：FiBL&IFOAM The World of Organic Agriculture statistics & Emerging trends 2010～2022をもとに農林水産省農産局農業環境対策課作成）

有機農業が実施されています。

有機市場の動向をみると注1、アメリカでは2018年に過去最高の約5.2兆円でした（図6）。前年比6％以上の成長で、取り扱いの中心が有機専門店から大型量販店やオンラインの小売業者、コンビニエンスストアなどへ拡大したからだと言われています。フランスでは、巨大流通グループが取扱額を拡大させ、有機市場の成長が一層加速しています。一人当たりの年間有機食品消費額は、スイスが世界トップで、3万9936円、フランスは1万7408円、米国が1万5936円、日本は1408円です。

このように、日本の有機農業の取り組み面積、消費額はアメリカや欧州諸国などに比べまだ少ないのが現状です。農水省は今後、国内市場の拡大を見込んでいます。したがって、付加価値の高い農産物を作る上では有機農業も一つの手段になります。

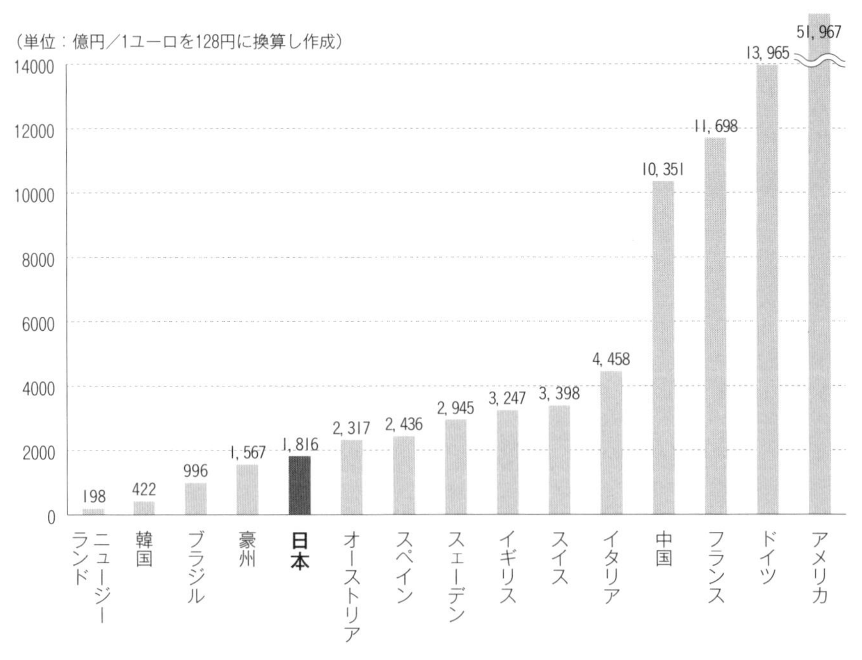

図6　国別の有機食品売上額（2018年）（出典：FiBL & IFOAM The World of Organic Agriculture statistics & Emerging trends 2020をもとに農林水産省農産局農業環境対策課作成）

[3] 生産者、仲買人、料理人が適正な報酬が得られる仕組みづくり

有機農業を例に挙げて、日本や世界市場の見通しを書きましたが、このように食文化をめぐる需要の変化に合わせて、農業のみならず、飲食や流通など食をめぐるそれぞれのステイクホルダーが自己変革し、全体でその付加価値を上げていくことが必要とされると考えています。東三河地域には古くから様々な生産物を育んできた農業があり、その生産地と消費地が「豊川流域圏」の中で隣接し、一体的であるからこそ、圏域全体の協力によって達成できるものと思っています。

そのためには、生産者と消費者がそれぞれの価値をしっかりと表現し、伝えていくことが大切になってきます。これまでは、規格に沿った生産物を使い、流通に乗せて、消費者に届けるという過程で、価値を伝えていくのは、消費者に近い小売業や飲食業を営む企業の役割となっていました。しかし、生産者側にあっても、作物の育て方や特徴、届け方や保管・加工、そしてその提供の各場面での努力やこだわりが隠れているはずです。生産地と消費地が一体的な地域に存在するからこそ、提供する価値とその評価のやり取りが生まれ、それにより、さらに洗練された特徴が生まれ、付加価値をつくっていく良い循環が形成されていきます。その価値を我々消費者が認識し、選択する際の価値判断の材料として受け入れることによって結果として生産者、仲買人、料理人が適正な報酬を得ることに繋げていきたいと思っています。

そして、世界から注目される日本の食文化、世界で拡大する有機農業市場を考えた時、全国有数の東三河の農業、食が今後どのような方向に進んでいくべきか。東三河の歴史、成り立ちなどから、豊川流域圏を一つの自給圏として考えていくのが理想、自然だと捉えています。

そこで私は東三河フードバレー構想を提唱しています。

④ 東三河フードバレー構想

[1] 課題認識

1 ブランド化

現在、東三河地域には、先述のように吉田園、たけうち牧場や、無農薬レモンの先駆者、河合果樹園など、各地にファンを持つ個性豊かな農家が数多く存在し、後継者も育っています。しかし、課題もあります。このような生産者が持っている独自のノウハウの活用をはじめ、市場の需要と供給のコントロールや、コミュニケーション戦略などの価値創造が不足していて、十分に地域としてのブランド化ができていません。例えば、需要と供給では「今年は不作で供給量が確保できません」では、有名・大手レストランからの受注は得られないのが現実ですが、生産者のこのような事情を許容できる風土、文化にしなければなりません。

2 東三河の食・農をSDGs（持続可能な開発目標）に沿った施策へアップデート

そして、現代では世界基準を無視できません。国連で採択された持続可能でよりよい世界をめざす国際目標「SDGs」の実現に向けた取り組みを進めていく必要があります。地球が直面している持続可能性という課題は、東三河地域の課題でもあり、目先の利益だけを考えた施策では解決できません。SDGsに沿った施策へアップデートすることで、SDGsによって大きな市場機会を手にするとともに、世界からの共感、リスペクトを集め、東三河の価値を世界的な見地から高めることが可能です。

[2] ビジョン「フードクリエーターの聖地」

これらの課題を踏まえて、私たちが取り組んでいる東三河フードバレー構想では、東三河地域の風土と文化が、食や食文化の「創造者」（フードクリエーター）をつくり出して、この地域を豊かにしていくという考えを基本に置きたいと考えます。ここでいう創造者とは、生産者や料理人、名産品の老舗、食品メーカー、食流通事業者など、食・食文化や農業に関わる様々な事業創造者です。東三河の食・農分野で、SDGsの理念に沿った施策を実施していくことこそが、東三河の持続的な成長へとつながると考えています。世界中からサステナブルで付加価値の高い農業ベンチャー、フードビジネスをやりたい人が集まり、その結果、東三河がブランド化し、地域住民がシビックプライドを持つようになります。

東三河という地域を豊かにしてきたのは、その地域が持つ潜在能力と近藤寿一郎、神野金之助といった生産インフラに取り組んだ事業開拓者たちや多くの農業従事者のほか、恵まれた海の幸を材料にしてきた江戸後期創業のヤマサちくわや、三河湾の栄養分を含んだ海苔を作っている永井海苔、漬物で全国的に知られる東海漬物、室町時代創業の「糀屋三左衛門」をルーツとし麹菌の製造・販売を行うビオックなど、食を磨き価値を高めてきた食関連事業者、料理人、ビジネスプロデューサーなどといった「食・食文化の創造者＝フードクリエーター」たちです。これからは、時代の潮流に合わせ、東三河という地域とフードクリエーターは進化していかなければなりません。加えて、持続可能な世界という大きな課題に取り組むための魅力的で実現可能な地域ビジョンを作成し、その実現に向けた取り組みに多くの人や企業が参加してくことが、東三河の持続的な成長を可能にすると考えます。その一つの手法として、熟練生産者の匠の技から様々なデータを活用するなど科学的見地に基づいた農業、技術伝承可能な農業へアップデートしていくことなどが求められると考えています。

[3] フードバレー構想がめざす方向性
――次世代フードクリエーターの発掘、育成

アップデートしたフードクリエーターが来たくなるような東三河を創ることで、東三河地域に集まってもらい、その活動を支援していきます。

豊川用水や神野新田など東三河の生産インフラに取り組んだ初期の人たちを「フードクリエーター1.0」とし、現在の東三河の食文化に貢献している生産者、料理人、企業経営者らを「フードクリエーター2.0」とします。

そして、持続可能な世界に向けて社会課題に取り組む食・食文化の創造者が「フードクリエーター3.0」です。フードクリエーター3.0の担い手はフードク

リエーター2.0よりも幅広く、生産者、料理人、企業経営者だけでなく、流通業者、食品加工業者、ベンチャーキャピタル、行政、ビジネスプロデューサーといった人たちです。

フードクリエーター3.0の行動指針として考えられるのは、以下の通りです。

①健康や環境に配慮した生産物を作り、付加価値を高める

②新しい食文化によりWell-Beingをめざす

③生産、加工、調理、流通が一丸となり、地産地消を実現

④伝統を継承しながら革新をもたらすフードテック、アグリテックなどを推進

[4] 実現に向けて

1 東三河のうねり

2021年11月、東三河の玄関口にあたる豊橋駅に近く、かつてのまちのシンボルとも言われた名豊ビル跡地に「emCAMPUS（エムキャンパス）」が新たに開業しました（図7）。emCAMPUSは、人々が笑む（エム）キャンパス、東三河（East Mikawa）のキャンパスとの思いを込めた食・健康・学びを楽しめる複合施設であり、私たちはそれらを東三河フードバレーの発信拠点とも位置付けています。特にemCAMPUSの1階には「FOOD HALL、RESTAURANT、MARKET」が東三河の食材を使用し、料理人が食事や商品として提供する場になっています。定期的に生産者の方をお招きし、直接育て方のポイントや美味しい食べ方まで語っていただくなど、単なる食事の場ではなく、出会いや学びの場も提供しています。

また、建物などのハード面のみならず、東三河中の生産者が集まる農民藝術創造倶楽部の結成や、豊橋市のアグリテック支援事業であるTOYOHASHI AGRI MEETUPの実施など食農を取り巻くソフト面での取り組みも増えてきました。また、豊橋技術科学大学の先端農業・バイオリサーチセンターでのプログラムや愛知大学の食農環境コースでの取り組みも厚みを増し、卒業生のネットワークが派生的な効果も生んでいます。

emCAMPUSでは、社会全体のキャンパスとして、志を持つ人々の学びの場として、それぞれのプロジェクトを支え・育てるアクセレーションプログラム

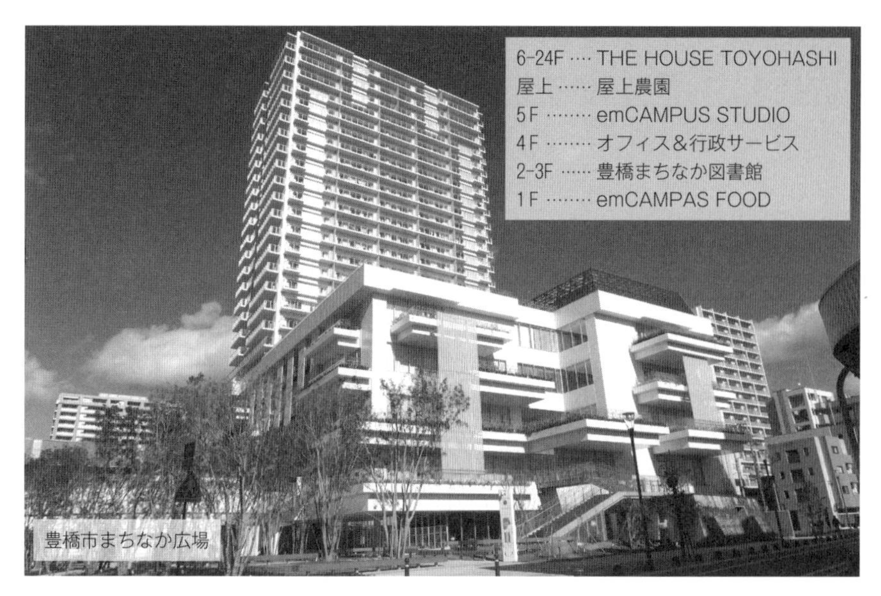

図7　emCAMPUSの外観とフロア構成

を実施することで、コミュニティ形成のプラットフォームを構築していきたいと考えています。

2 プロジェクト例

東三河フードバレー構想の実現のために、地域で行われている複数のプロジェクトのなかでも、特徴的な二つを紹介します。

まず、豊橋市をはじめ、各企業と協力して行っている取り組みの一つに、東三河の生産物を地域の人が簡単に手に入れられる地産地消の仕組み作りがあります。東三河産の生産物を活用した料理を新たに生み出し、身近に食べられる環境を整えていくことで、地産地消を推進し、農産物流通の見直しを行い、少量から地域内の飲食店などに届ける取り組みを進めています。生産者が自身の育てる生産物の特徴を発表し、料理人はそれを学びながら、両者をつなぎ合わせていきます。料理人は生産現場の見学などを通じ、素材の良さを理解した上で、新商品を開発し、その生産物を継続的に販売・購入するための物流を築いていく挑戦に参加します。その際に、いわゆるマッチングの場としての市場機能、情報システムのプラットフォーム、きめ細やかな物流機能、さらに各段階での加工技術が必要になります。こうしたことは、企業や生産者、または自治体でも単独では実施することは容易ではありません。地域が一体となって初めて機能する取り組みであり、東三河フードバレー構想に向けた取り組みとして、じっくりと進めていくテーマと捉えています。

一方で、早期に実現したいのが、東三河フードバレーアワードです。持続可能な世界に向けて社会課題に取り組む食・食文化の創造者「フードクリエーター3.0」を表彰し、その取り組みを全国、全世界に認知してもらう機会としていきます。これにより、次世代のフードクリエーターが挑戦しやすい環境を構築し、将来的にはフードクリエーターが豊橋に集まり・育っていく場所＝聖地としての地位を確立していきたいと考えています。

3 今後の推進体制

様々な取り組みを通して、生産者や料理人、企業、行政機関、教育・研究機関などでコンソーシアム（共同事業体）を醸成するとともに、多くのフードクリエーターを見出し、育成する実証基盤の場とします。この成長するエコシステムはメディア機能を備え、世界へつながりフードクリエーターのハブとなることをめざします。

おわりに　東三河の持続可能な未来を共創しよう

地域の現状や特徴を踏まえて、東三河フードバレー構想の取り組みを通じて、21世紀の東三河地域の将来像を述べてきました。

世界に目を向けると、大都市以外で話題に挙がる地域に、美食のまちサンセバスチャン（スペイン／人口18万人）、サステナブルなまちポートランド（アメリカ／人口63万人）などがあります。これらの地域は、大都市の真似で発展してきたのではなく独自の文化、空気感でまちのブランドを形成し、住んでいる人がそんなまちの雰囲気を愛するという関係が形成されてきた代表的なまちと言えます。東三河も「リトルトーキョー」をめざすのではなく、既にある恵まれた大地の特徴を生かした魅力的な未来ビジョンを描き、実現していくことで、人を本当に“豊か”にすることにチャレンジできる地域・まちになることができるのではないでしょうか。これは東三河が、日本はもとより、世界中からその魅力を求めて人が集まり、誇りを持てる美しいまち・地域になっていく未来への挑戦です。

注

1　有機農業の動向については『農業協同組合新聞』「世界の有機食品市場10年で2倍——農水省」2021.7.13（https://www.jacom.or.jp/nousei/news/2021/07/210713-52668.php）を参照した。

参考文献

愛知県東三河農林水産事務所豊川用水課『豊川用水50年のあゆみ』（https://www.pref.aichi.jp/uploaded/attachment/249708.pdf）

大曾根三緒（2020）「北アメリカ農業の今〜国･地域の特色から見る、これからの日本農業」『minorasu』2020.11.27（https://minorasu.basf.co.jp/80117）

大曾根三緒（2021）「オランダ農業はなぜ強い？生産性を上げる最新技術と経営戦略の特徴」『minorasu』2021.7.28（https://minorasu.basf.co.jp/80251）

神野新田研究会（2022）『神野新田へようこそ　〜豊橋のもう一つの百年世界〜』

神野新田土地改良区（1993）『神野新田開拓百年記念誌』

政府統計の窓口「統計でみる都道府県のすがた2022」（https://www.e-stat.go.jp/stat-search/files?page=1&toukei=00200502&tstat=000001162826）

高村由佳（2021）「有名企業の農業参入例6選 こんな企業が農業やってるのはナゼ？」『マイナビ農業』2021.1.29（https://agri.mynavi.jp/2021_01_29_146608/）

帝国書院（2023）『中学生の地理』帝国書院

豊橋市（2023）「飲食店・菓子店と農家がタッグを組んだ新メニューを発表、11月23日には愛知県豊橋市でお披露目会」PRTIMES（https://prtimes.jp/main/html/rd/p/000000383.000025583.html）

トラベルボイス「食文化が魅力の国ランキング、1位「イタリア」、日本は僅差で2位に」『トラベルボイス』2015.10.2（https://www.travelvoice.jp/20151002-51921?_sm_au_=iVVRkVH7jWTtM7LNRqtJ2K72RvVkJ）

農林水産省「「和食」ユネスコ無形文化遺産に登録されています」（https://www.maff.go.jp/j/keikaku/syokubunka/ich/）

農林水産省「和食　日本人の伝統的食文化」（https://www.maff.go.jp/j/keikaku/syokubunka/culture/pdf/guide_all.pdf）

農林水産省（2021）「インバウンドを通じた海外需要の取り込み・創出」（https://www.maff.go.jp/j/nousin/kouryu/nouhakusuishin/attach/pdf/suishin_kenkyu-16.pdf）

農林水産省（2022）「オランダの農林水産業概況」（https://www.maff.go.jp/j/kokusai/kokusei/kaigai_nogyo/attach/pdf/index-160.pdf）

農林水産省（2022）「有機農業をめぐる事情」（https://www.maff.go.jp/j/seisan/kankyo/yuuki/attach/pdf/meguji-full.pdf）

農林水産省（2023）「有機農業をめぐる事情」（https://www.maff.go.jp/j/seisan/kankyo/yuuki/attach/pdf/index-43.pdf）

文化庁「食文化あふれる国・日本」（https://www.bunka.go.jp/foodculture/）

独立行政法人水資源機構豊川用水総合事業部『豊川用水通水50周年』（https://www.water.go.jp/chubu/toyokawa/50th/50th-2.pdf）

あとがき

本書の企画が生みだされた母体は、「持続的で多様なスマートリージョンの形成研究会」（略称「スマートリージョン研究会」、以下研究会という）である。2021年6月から3か年計画でスタートしており、本書を執筆している2023年冬までに10数回の研究会を開催し、各分野の専門家や行政との意見交換を行いながら、エネルギー、スマートシティ、一次産業、スタートアップ等の各テーマで議論を深めてきた。その過程で、研究会構成員それぞれの専門分野の切り口から、「スマートリージョン」を考察することを通じて、その概念の輪郭を描いて世に問うこととなり出版プロジェクトが進められた。

構成員は、研究会を組織した（一財）国土計画協会と（公社）東三河地域研究センターに関連の深い研究者である。両機関が連携することで、DX時代の国土計画の視点と地域のリアリティが結びついてきた。本書の主題は、我が国が直面している人口減少社会において、デジタル化、カーボンニュートラル化等の動きを可能な限り解き明かし、その社会的実装がもたらすひと（ヒューマン）との相互関係を考え、都市・中山間地域の抱える社会的課題・産業経済課題にアプローチするものである。そして、その際に重要となるのが、交通利便性の向上や情報通信の発達を生かした地域間の連携である。

本書で提起した「新東海地域」は、首都圏と名古屋圏を結ぶ独立した経済圏をもつ地域として、国土構造上に重要な地域であるとの認識を持っている。本書執筆者の多くが、この地域を対象とした地域研究や事業に携わっており、執筆された内容は今後ともこの地域での実践を通してさらに練り上げられていくことを期待したい。

最後に、本書を取りまとめるにあたり学芸出版社の前田裕資氏には、精力的に携わっていただいた。心よりお礼を申し上げたい。

2024年1月　大西　隆、戸田敏行

著者略歴

大西　隆（おおにし たかし）　【1章執筆】
東京大学名誉教授、豊橋技術科学大学名誉教授、一般財団法人国土計画協会会長、公益社団法人東三河地域研究センター理事会長。
1948年生まれ。東京大学大学院修了、工学博士。長岡技術科学大学助教授、アジア工科大学院助教授、東京大学教授、日本学術会議会長、豊橋技術科学大学学長等を経て現職。サーラエナジー株式会社取締役（社外）、国際教養大学理事、日本政策投資銀行顧問等を兼務。

戸田敏行（とだ としゆき）　【4章執筆】
愛知大学地域政策学部教授。
1956年生まれ。豊橋技術科学大学工学部建設工学課程卒業、同大学院修士課程建設工学専攻修了、同大学院博士課程環境・生命工学修了、博士（工学）。公益社団法人東三河地域研究センターを経て、現職。東三河地域研究センター副理事長、愛知大学三遠南信地域連携研究センター長。

スマートリージョン研究会　【2章執筆】
正式名称「持続的で多様なスマートリージョンの形成研究会」

会　長	東京大学名誉教授	大西　隆
委員長	愛知大学教授	戸田敏行
委　員	静岡文化芸術大学教授	藤井康幸
委　員	静岡文化芸術大学教授	船戸修一
委　員	豊橋技術科学大学准教授	小野　悠
委　員	（公財）マンション管理センター理事長	幾度　明
地域委員	（一財）しんきん経済研究所主席研究員	間淵公彦
地域委員	（一財）静岡経済研究所シニアチーフアドバイザー	大石人士
地域委員	浜松学院大学教授	加藤勝敏
オブザーバー	飯田信用金庫しんきん南信州地域研究所主任研究員	中村　達
事務局	（一財）国土計画協会・ （公社）東三河地域研究センター	

＊肩書きは委員会発足時

小野　悠（おの はるか）　【3章執筆】
豊橋技術科学大学大学院工学研究科准教授。
1983年生まれ。東京大学工学部都市工学科卒、同大学院工学系研究科都市工学専攻修士課程、同博士課程修了。博士（工学）。愛媛大学社会連携推進機構准教授、松山アーバンデザインセンター副センター長などを経て2017年に豊橋技術科学大学講師、22年1月から准教授、同年4月から学長補佐（地域振興担当）。日本学術会議連携会員（第25期若手アカデミー幹事）。日本科学振興協会（JAAS）第1期代表理事。

幾度　明（きど あきら）　【5章執筆】
公益財団法人マンション管理センター理事長。
1954年生まれ。東京大学工学部都市工学科卒、同大学院修士課程都市工学専攻を修了後、国土庁に入庁。国土交通省で地価調査課長、首都機能移転企画課長、水資源政策課長、国土計画局総務課長、大臣官房審議官、政策統括官などを歴任し、2014年退官。その後、一般財団法人国土計画協会専務理事などを経て、現職。

加藤勝敏（かとう かつとし）　【6章執筆、2章まとめ担当】
浜松学院大学現代コミュニケーション学部教授。
1959年生まれ。東京電機大学理工学部建設工学科卒業、同大学院理工学研究科建設工学専攻修了、大阪工業大学大学院博士課程工学研究科都市デザイン工学専攻修了、博士（工学）、財団法人日本立地センター、公益社団法人東三河地域研究センターを経て、現職。技術士（建設部門・都市及び地方計画）。

髙橋大輔（たかはし だいすけ）　【7章執筆、2章まとめ副担当】
公益社団法人東三河地域研究センター常務理事・調査研究室長。
1975年生まれ。愛知大学大学院文学研究科地域社会システム専攻博士課程修了。博士（地域社会システム）。愛知大学非常勤講師、同大学三遠南信地域連携研究センター研究員、豊橋創造大学非常勤講師。三河港未来戦略会議専務理事、東三河広域経済連合会アドバイザー、東三河広域連合まち・ひと・しごと創生総合戦略推進協議会委員、愛知県東三河振興ビジョン企画委員会委員等。

藤井康幸（ふじい やすゆき）　【8章執筆】
静岡文化芸術大学文化政策学部教授。
1962年生まれ。東京大学工学部都市工学科卒、カリフォルニア大学ロサンゼルス校（UCLA）建築都市計画スクール都市計画修士、東京大学工学系研究科都市工学専攻博士課程単位満期取得退学。清水建設株式会社、株式会社富士総合研究所／みずほ情報総研株式会社（現、みずほリサーチ＆テクノロジーズ株式会社）を経て現職。博士（工学）（東京大学、2017年）。技術士（建設部門・都市及び地方計画）、AICP（米国認定都市プランナー）。

間淵公彦（まぶち きみひこ）　【9章執筆】
一般財団法人しんきん経済研究所所長。
1969年生まれ。専修大学法学部卒。浜松信用金庫（現浜松磐田信用金庫）入庫後、特定非営利活動法人静岡県西部地域しん

きん経済研究所（現一般財団法人しんきん経済研究所）へ出向、現在に至る。中小企業診断士。

大石人士（おおいし ひとし）　【10 章執筆】
一般財団法人静岡経済研究所シニアチーフアドバイザー（2023 年 8 月退任）。
1956 年生まれ。専修大学経済学部卒。静岡銀行入行後、財団法人静岡経済研究所に出向。研究部長、専務理事、シニアチーフアドバイザー等を経て退任。その間、静岡大学、常葉大学、静岡産業大学、静岡英和学院大学短期大学部等で講師、静岡地方労働審議会会長、静岡県雇用対策審議会会長等の公職を歴任。現在、静岡産業大学総合研究所客員研究員。

太田秀也（おおた ひでや）　【11 章執筆】
一般財団法人国土計画協会専務理事。
1963 年生まれ。東京大学法学部卒、建設省入省。以降、住宅局、河川局、国土交通省総合政策局などで勤務するほか、経済企画庁、運輸省、人事院、内閣府、復興庁、北九州市、水資源機構、不動産適正取引推進機構に出向、研究休職により日本大学経済学部教授、麗澤大学経済学部特任教授。2022 年退官、その後現職。博士（工学）。主な著書:『賃貸住宅管理の法的課題』、『賃貸住宅管理の法的課題 2』、『行政活動論』（いずれも大成出版社）

神野吾郎（かみの ごろう）　【特別寄稿執筆】
株式会社サーラコーポレーション代表取締役社長兼グループ代表・CEO。
1960 年生まれ。1983 年慶應義塾大学商学部卒、三井信託銀行㈱（現三井住友信託銀行）を経て、1990 年中部瓦斯㈱入社。2000 年ガステックサービス㈱代表取締役社長、2002 年㈱サーラコーポレーション代表取締役社長、2020 年より現職。豊橋商工会議所会頭、公益社団法人東三河地域研究センター理事長、中部経済連合会副会長、愛知県経営者協会副会長、慶應義塾評議員、豊橋技術科学大学特別顧問、愛知大学理事などを務める。

【本書関連情報】
https://book.gakugei-pub.co.jp/gakugei-book/9784761528751/

DX時代の広域連携──スマートリージョンをめざして──

2024年1月15日　第1版第1刷発行

企　　画　一般財団法人 国土計画協会・公益社団法人 東三河地域研究センター
編 著 者　大西隆・戸田敏行＋スマートリージョン研究会
著　　者　小野悠・幾度明・加藤勝敏・髙橋大輔・藤井康幸・間淵公彦・
　　　　　大石人士・太田秀也・神野吾郎

発 行 者　井口夏実
発 行 所　株式会社 学芸出版社
　　　　　〒600-8216　京都市下京区木津屋橋通西洞院東入
　　　　　電話 075-343-0811
　　　　　http://www.gakugei-pub.jp/
　　　　　E-mail info@gakugei-pub.jp
編集担当　前田裕資

D T P　KOTO DESIGN Inc.　山本剛史・萩野克美
装　　丁　見増勇介＋関屋晶子（ym design）
印　　刷　イチダ写真製版
製　　本　新生製本

ISBN978-4-7615-2875-1